한국어 1

KOREAN

서울대학교 어학연구소
Language Research Institute
Seoul National University

[주]문진미디어
MOONJINMEDIA

Published by **MOONJINMEDIA Co., Ltd.**

5-7 Yongsan-dong 3ga, Yongsan-ku,

Seoul, 140-023, Korea

Tel : 82-2-798-1236

Fax : 82-2-792-8885

http://www.moonjin.com

Designed by Ju+Design

http://www.judesign.com

First Edition 2000

ISBN 89-7260-628-6

한국어 1

저자   / 서울대학교 어학연구소

발행인 / 이상철

발행처 / [주]문진미디어

서울특별시 용산구 용산동 3가 5-7

Tel : (02)798-1236

Fax : (02)792-8885

http://www.moonjin.com

디자인 / 주+디자인

http://www.judesign.com

등록   / 1980년 10월 7일 제 1-151호

초판 1쇄 발행 / 2000년 9월 1일

정가   / 15,000원

개정 증보판 서문

1995년에 이 책의 개정판이 출간되고 나서 새로 제기된 여러 가지 문제점 때문에 1998년에서 1999년까지 약 1년에 걸쳐 연습 문제의 전면적인 수정 작업이 있었다. 종래의 연습 문제 대부분이 구조주의적 언어 교수법 이론에 근거하여 만들어졌기 때문에 학습자의 진정한 의사소통 능력 향상에 대한 기여도가 낮다는 반성과 함께 작업이 이루어졌다.

연습 1은 종래와 같이 문법규칙이나 구문을 익히기 위한 문형 연습 중심으로 하되, 연습 2는 학습된 형태를 바탕으로 하여 언어의 네 가지 기능을 창의적으로 수행해 볼 수 있도록 과제 해결적 접근법을 취해 개발하였다. 또한 새로 듣기 연습 문항을 추가하여 통합적 교재로서의 면모를 갖추고자 하였다. 개정판에서부터 영어 번역을 붙였으나 직접적인 대역에 치중하다 보니 부자연스럽고 어색한 문장이 많이 발견되었다. 이번 작업에서는 실제적이고 자연스러운 영어 표현으로 바꾸는 작업도 병행했다. 이러한 입장으로 수정된 책을 1998년 가을 학기부터 수업 시간에 사용해 보면서, 발견되는 문제점들을 다시 검토하고 보완하여 이제 출간하게 되었다.

책이 완성되기까지 어학 연구소 담당 강사 여러분들의 큰 노력이 있었다. 연습 문제 수정 작업에 수고해 준 김정화, 장은아, 김은애, 신혜원 선생님과 영어 번역을 맡아 준 필립 오닐 선생님, 그리고 감수와 교정에 참여해 준 여러 선생님들의 노고에 깊은 감사를 드린다. 아울러 이 책이 출판되기까지 많은 도움을 주신 문진미디어 이상철 사장님과 편집진 여러분께 감사의 마음을 전한다.

1999년 11월
서울대학교 어학연구소장
문 양 수

Preface to the Revised and Enlarged Edition

The Korean Level I textbook was revised from 1998 to 1999 in response to various practical concerns which emerged in the second edition of the text. Most of the exercise questions in that edition were based on the structural approach to language learning, and so it was felt that the text needed to focus more on improving students' communicative skills.

Exercise 1 was designed to focus on structural drills to familiarize students with key grammatical structures and sentence patterns. Exercise 2 was developed using a task-based approach in order to encourage students to creatively apply the structures previously learned across the four language skills: speaking, listening, reading and writing.

A listening section has also been integrated into the original textbook. In addition, the English translations which appeared in the 1995 edition have been revised to make them sound more natural. The first draft of the revised textbook has been used in classes since the Fall session of 1998. During that time further improvements were made in the process of using the text in the classroom.

Many of the teachers in the Korean Language Program have made a significant contribution to the completion of this book. In particular, I would like to express my sincere gratitude to Ms. Chung-Hwa Kim, Ms. Eun-A Chang, Ms. Eun-Ae Kim, Ms. Hae-Won Shin for carrying out the revision process and rewriting the exercise sections, and Mr. Phillip O'Neill who edited the English translations in the text. I also would like to thank the president, Mr. Sang-Cheol Lee and the editors at Moonjinmedia.

November 1999

Yang-Soo Moon
Director
Language Research Institute
Seoul National University

개정판 서문

　　1993년 이 책이 출간된 이래 많은 철자상의 오류가 발견되었다. 그것들을 모두 바로 잡았다. 또한 본문에도 변화가 있었다. 우선 어색한 표현들을 자연스런 한국어로 바꾸었다. 그리고 1권은 각 과의 읽기와 문법 부분에 영문 번역을 첨가하였다. 영문 번역이 한국어를 독학하는 학생들에게 실질적인 도움이 되기를 바란다.

　　　　　　　　　　　　　　　1995년 6월
　　　　　　　　　　　　　　　서울대학교 어학연구소장
　　　　　　　　　　　　　　　김 명 렬

Preface to the Revised and Enlarged Edition

Since its appearance in 1993 many typographical errors have been found in this textbook by the users. They have all been corrected here. We have also made some substantial changes. First some awkward expressions have been rewritten in more natural Korean. Second, we have added an English translation of the reading and grammar sections to each lesson of Book 1. We hope that this will provide material helpful for those students who intend to study Korean by themselves.

June 1995

Myong-Yol Kim
Director
Language Research Institute
Seoul National University

서문

　이 한국어 교과서는 한국어를 배우고자 하는 외국인을 위해 편찬한 것이다. 이 교과서는 특히 서울대학교 어학연구소의 현행 한국어 교육과정에 등록하여 한국어를 배우려는 다양한 지역 언어권의 성인 학습자를 위한 것이다.

　현재 서울대학교의 외국인을 위한 한국어 교육은 4학기로(각 10주씩으로) 총 800시간의 학습을 받도록 되어 있다. 또 한국어 교육의 목표는 학습자가 전 과정을 마치면 한국에서의 대학진학이나 취업 등 여러 유형의 사회생활을 위한 기본적인 한국어 구사 능력을 말하기, 듣기, 쓰기, 읽기의 네 가지 면에서 고르게 습득할 수 있도록 하는 데에 있다.

　교육과정은 초급, 중급, 중상급, 고급의 네 단계로 구분되고, 각 단계에서 하루에 4시간씩, 1주일에 5일, 총 10주간에 200시간의 집중적인 훈련을 받도록 운영되고 있다.

　이 교과서는 이와 같은 교육목표를 염두에 두고 그 내용이 짜여진 것인데, 현행 운영체제에 맞추어 모두 네 권으로 나뉘어지고, 4권을 제외한 1, 2, 3권의 각 과는 하루에 진행되는 네 시간의 강의에 끝마칠 수 있도록 배려되었다.

　이 책은 출신 언어권 뿐 아니라 학습 동기에 있어서도 다양한 성격의 한국어 학습자를 위한 범용적인 교과서로 구상되었기 때문에 외국어 교육 이론이나 방법론에 있어서도 절충적인 입장을 취하여 구조주의적 이론에서 의사소통적 접근 이론에 이르기까지 여러 시각의 장점을 모두 수용하고 응용해 보려고 하였다. 이에 따라 새 단어를 단계적으로 가능한 한 통제하여 도입하였고, 한국어의 특징적인 문법체계나 문장구조를 기본적이고 간단한 것부터 학습시키는 입장을 택하고, 그러면서도 일상적인 사회생활의 상황에서 자연스럽고 실제적인 행동으로 한국어 사용능력을 발휘할 수 있도록 본문의 내용이나 표현을 구성하였다.

　이 책은 1992년 3월 학기부터 실제 사용해 보고 담당 강사 선생님들의 의견과 논평을 참고하여 여러 번의 수정을 거쳐 이제야 세상에 내놓게 되었다.

　이 책이 완성을 보기까지는 여러 사람의 오랜 기간의 노력이 있었다. 편찬의 총 책임은 어학연구소 교육훈련부장 홍재성 교수(서울대학교 불어불문학과)가 맡았고, 어학연구소에서 강의를 담당하고 있는 문희자, 김인자, 김화원, 김청자 선생님과 박동호 조교, 임준서 선생이 집필에 참여하였다. 박동호 선생이 해외 유학을 떠나게 되어 김원근 조교가 그 뒤를 이어 집필을 도왔다.

　홍재성 교수를 비롯한 여러분들의 헌신적인 협력에 대하여 서울대학교 어학연구소를 대표하여 다시 한번 깊은 감사의 뜻을 표한다.

1993년 6월
서울대학교 어학연구소장
박　남　식

Preface

This series of textbooks is for people who would like to learn Korean, especially those who are learning Korean at the Language Research Institute (LRI) of Seoul National University. These students have diverse backgrounds geographically and linguistically.

Currently, the Korean Language Program at Seoul National University consists of four terms. Each term is 10 weeks long and provides 200 hours of instruction. The goal of the program is to enable the students to read, write, speak, and comprehend Korean proficiently so that they can study or work in a Korean language environment.

The Korean Language Program is divided into four courses: elementary, intermediate, high intermediate, and advanced. Each course meets four hours daily Monday through Friday, from nine in the morning to one in the afternoon. This series of textbooks was written with such a four-level program in mind, and therefore consists of four volumes.

In writing this book, we have considered the diverse backgrounds of the students in terms of their native language and their motivation to learn Korean. We have also tried to take advantage of various theories of foreign language teaching, such as structuralism and the communicative approach. New vocabulary items and constructions peculiar to Korean are introduced according to their degree of difficulty. We have organized the text so that students can communicate in a Korean language environment.

We have revised this text several times since we started writing it in March 1992. A number of people have contributed to the publication of this book. Professor Chai-Song Hong, Associate Director of the Institute for Education and Training, was in charge of the project. In addition, the following people have participated in the writing of the text: Ms. Hee-Ja Moon, Ms. In-Ja Kim, Ms. Hwa-Won Kim, Ms. Chung-Ja Kim, Mr. Dong-Ho Park, Mr. Joon-Seo Lim, and Mr. Won-Geun Kim.

On behalf of the Language Research Institute of Seoul National University, I wish to express my gratitude to all these people, especially Professor Chai-Song Hong, for the dedication with which they have written this book.

June 1993

Nahm-Sheik Park
Director
Language Research Institute
Seoul National University

이 책은 외국어로서의 한국어를 배우려는 성인 학습자를 위해 서울대학교 어학연구소가 개발한 한국어 교재 시리즈 중 첫 번째 단계의 책으로, 한국어에 대한 지식이 전혀 없는 성인 학습자를 대상으로 하여 일상 생활에 필요한 기초적인 의사소통 능력을 기르게 하는 데 목표가 있다.

전체 30과로 이루어져 있으며, 각 과는 《본문》, 《발음》, 《문법》, 《어휘》(11과 이후 《어휘와 표현》), 그리고 《연습》으로 구성된다.

《예비편》은 한국어 학습을 처음으로 시작하는 학습자가 한글을 읽고 쓰는 방법과 기본적인 발음을 익힐 수 있도록 마련되었다.

《본문》은 기초적인 문법과 어휘를 바탕으로 일상적 의사소통 상황을 주로 대화로 제시하였다.

《발음》은 음운 변화에 주의해서 발음할 단어를 연습하도록 하였다.

《문법》은 중심 학습 대상이 되는 문법사항을 제시하였다. 기초적인 문법 구조부터 단계적으로 항목을 배열하여, 기본적인 문장을 정확히 구사할 수 있도록 기술하였다.

《어휘와 표현》은 《문법》에서 다루지 못한 문법사항이나, 본문에 나오는 중요 단어의 용법, 일상적인 구어표현을 예문을 통해 제시했다.

《문법》과 《어휘와 표현》의 기술은 문법 용어의 사용을 제한하되, 필요한 경우에는 N(명사), V(동사), A(형용사) 및 S(문장) 등의 기호를 사용하였다.

《연습》은 두 부분으로 나뉘어 있다. 《연습 1》은 학습된 문법이나 구문을 익히기 위한 문형연습이 중심이 된다. 《연습 2》는 학습자가 중심이 되어 학습 내용을 활용하고 언어를 생성하며 이해할 수 있는 다양한 연습이 포함되어 있다.

어휘는 약 450단어를 도입하였으며 새 단어는 출현 순서에 따라 각 과의 본문 밑에 제시했다. 《문법》, 《어휘와 표현》, 《연습》에 나오는 보충 단어는 ★표 뒤에 제시하였다. 학습한 어휘는 뒤에서 다시 반복해서 제시함으로써 습득을 용이하게 하였다.

《찾아보기》는 책에 나오는 모든 어휘와 문형을 제시하고 처음 출현한 과와 쪽수를 표시하였다. 이해에 도움을 주고자 영어와 일어 번역을 달았으며 보충단어는 뒤에 ★표를 붙여 구별하였다.

Remarks to the Readers

This is the first of six volumes of the Language Research Institute's Korean language textbook written for adult learners who do not have any previous knowledge of Korean. The text aims to develop students' basic communicative skills in practical, everyday situations. It consists of 30 lessons, each of which comprises a main text followed by pronunciation, grammar, vocabulary and exercise sections.

A preliminary lesson introduces students to Korean script and basic principles of pronunciation. The main text in each lesson is based on everyday situational dialogues which use basic grammar and vocabulary. In this volume, approximately 450 vocabulary items are introduced. These words are given at the end of the main text in the order in which they appear. The vocabulary list also includes words found in the grammar, vocabulary and exercise sections. This supplementary list is marked with ★ and follows the core vocabulary list. Words are re-used throughout each lesson to reinforce learning.

In the pronunciation section, we focus on sounds and sound changes and give students a chance to practice.

The grammar section highlights the key grammatical structures in each lesson. A range of structures are introduced according to their degree of difficulty to enable students to use grammar correctly.

The vocabulary section which follows includes useful idiomatic and colloquial expressions and shows how to use selected vocabulary in appropriate contexts of use.

The grammar and vocabulary sections avoid grammatical terminology as much as possible, however, abbreviations such as 'N' (noun), 'V' (verb), 'A' (adjective) and 'S' (sentence) are sometimes used to make things clearer.

The exercise section is divided into two parts: Exercise 1 focuses on structural drills to highlight the key grammatical structures and sentence patterns studied. Exercise 2 encourages students to apply the language they have learned in a range of activities.

The glossary lists all the words and expressions used throughout the text and indicates the unit and page number where they first appear. In order to facilitate understanding, both an English and a Japanese translation are given, and supplementary words are marked with ★.

교재 구성

단원	주제 및 상황	기능	문법 및 표현	활동	어휘
1과	교실	· 기본 문장 표현하기 · 교실 용어 익히기 · 지시어로 표현하기	· N은 무엇입니까? · N-입니다	· 교실 주변의 사물 이름 묻고 대답하기	· 기본적인 사물 (책상, 의자 등) · 무엇, 이것, 저것
2과	교실	· 긍정, 부정으로 묻고 대답하기 · 간단한 정보 찾기	· N은 N-입니까? · 네, N-입니다 아니오, N이/가 아닙니다	· 주변의 사물 이름을 익히며 문답하기 · 사물 그림 보고 대화 완성하기	· 일상 어휘 익히기 (시계, 구두 등) · 그것

3과	자기 소개	· 자기 소개하기
		· 격식체를 써서 인사 나누기
			· 보조사(은/는)
			  N은 N-입니다
			· 목적격 조사(을/를)
			  N은/는 N을/를 V-ㅂ니다/습니다
			· 제 N
				· 자기 소개하는 글 쓰기
				· 자기 물건에 대해 말하기
					· 인사/소개와 관련된 어휘 (안녕하십니까, 반갑습니다 등)
					· 나라 이름

4과	교실	· 장소에 대해 표현하기
		· 경어법으로 표현하기
			· 여기는 N-입니다
			· 여기는 N-입니까?
			· 처격 조사(에서)
			  N은/는 N에서 N을/를 V-ㅂ니다/습니다
			· 주체 경어법(-시-)
			  V-(으)십니다
				· 선생님께 질문해 보기
				· 특정 장소에서 하는 활동에 대해 말하기
					· 장소에 관련된 어휘 (어디, 대학교 등)

5과	간단한 대화	· 부정문 표현하기
		· 간단한 정보 찾기
			· 처격 조사(에)
			  N은/는 N-에 갑니다/옵니다
			· 부정문
			  N은/는 V-지 않습니다
				· 적절한 조사를 활용하여 이야기 완성하기
				· 긍정, 부정으로 대답하기
					· 장소에 관련된 어휘 (식당, 도서관 등)

6과	날씨	· 날씨 표현하기 · 주변의 사물에 대해 형용사로 묻고 대답하기	· 주격 조사(이/가) N이/가 A-ㅂ니다/습니다 · (N은/는) N이/가 A-ㅂ니다/습니다	· 여러 나라의 날씨 이야기해 보기 · 대화 읽고 질문에 대답하기 · 날씨 그림 보고 대답하기	· 날씨 관련 어휘 (춥다, 덥다 등) · 좋다, 나쁘다

단원	주제 및 상황	기능	문법 및 표현	활동	어휘
7과	요일	· 요일 이름 알고 표현하기	· 시간의 처격 조사(에) · N은/는 무슨 N-입니까? · 공동격 조사(와/과) N와/과 N · 나열의 연결어미 S-고 S	· 한 주일의 계획 세우기 · 친구 계획 알아보기	· 요일 관련 어휘 (월요일, 화요일 등)
8과	방	· 위치 익혀 표현하기 · 수 표현하기 · 비격식체로 표현하기	· 비격식체 V/A-아요/어요 · N은/는 N에 있어요/ 없어요 · N-옆(위, 아래)에	· 그림 보고 비격식체로 대답하기 · 주변의 물건 위치에 대해 말하기 · 짧은 글 읽고 물건 배치하기	· 위치 관련 어휘 (옆, 층 등) · 수
9과	어제 한 일	· 과거 시제로 표현하기 · 과거 사실에 대한 개인 정보 찾기 · 일과 표현하기	· 과거 시제 V/A-았/었어요 (았/었습니다) · 선후관계의 연결어미 S-고 S	· 어제 한 일을 친구와 이야기하고 쓰기	· 일상 생활 관련 어휘 (다방, 시내 등)
10과	교실	· 개인 정보 얻기 · 날짜 표현하기 · 수 표현하기 · 불규칙 용언으로 표현하기	· 방향의 처격 조사 (에서) N에서 오다 · 'ㅂ' 불규칙 활용 · 대조의 연결어미 S-지만 S	· 달력 보고 친구와 이야기하기 · 달력 보고 정보 찾기	· 날짜 관련 어휘 (월, 일 등)
11과	전화	· 전화하기/받기 · 경어법 써서 비격식체 표현하기	· 속격 조사(의) N(의) N · 평서형 종결어미 V-(으)세요 · 부정 표현 안 V · 미래 시제 V-겠-	· 전화하기 · 전화 대화 완성하기 · 그림 보고 상황에 맞게 대화 완성하기	· 전화 관련 어휘 (여보세요, 실례지만 등) · 누구

단원	주제 및 상황	기능	문법 및 표현	활동	어휘
12과	가게	· 물건 사기 · 가격 말하기 · 수량명사로 　표현하기 · 정중하게 요청하기	· N은/는 얼마입니까? · N에 얼마입니까? · 수 관형사 한/두/세 · 수량명사 개/병/원 · 명령형 종결어미 　V-(으)세요/(으)십시 　오	· 그림 보고 가격 　말하기 · 물건 사기 역할놀이 · 대화 읽고 이해하기	· 가게 관련 어휘 　(얼마, 사과 등)
13과	식당	· 제안하고 제안에 　응하기 · 식당에서 주문하기	· 청유형 연결어미 　V-(으)ㄹ까요? 　V-(으)ㅂ시다 · 공동격 조사(하고) 　N 하고 N · 여격 조사(에게/께) 　N에게/께 · N을/를 주다/드리다	· 메뉴 보고 주문하기 · 음식 주문한 사람 　알아맞히기	· 식당 관련 어휘 　(메뉴, 식당 등) · 수량 명사 　(그릇, 잔 등)
14과	교통수단	· 교통수단 이용하기 · 원인, 이유 표현하기 · 의무 표현 말하기	· 이유의 연결어미 　S-(으)니까 S · 의무의 보조동사 　V-아야/어야 하다 · 어떻게 갈까요?	· 지하철 노선도 보고 　이야기해 보기 · 집에 가는 방법 　이야기하기 · 그림 보고 추론해서 　말하기	· 교통 관련 어휘 　(지하철, 　복잡하다 등)
15과	버스정류장	· 버스 번호 읽기 · 교통 수단 이용하기 · 의도를 나타내는 　표현하기 · 방향 지시하기	· 의도의 보조동사 　V-(으)려고 하다 · 방향격 조사(으로) 　N(으)로 오다/가다	· 버스 번호와 노선 　이야기해 보기 · 특정 장소 가는 방법 　이야기하기 · 상황 그림 보고 　적절히 대답하기	· 교통수단 관련 어휘 　(정류장, 버스) · 장, 번
16과	초대	· 초대하기 · 동의의 표현 말하기 · 시간 말하기 · 하루 일과 　이야기하기	· 지속의 연결어미 　S-아서/어서 · '으' 불규칙 활용	· 그림보고 적절한 　연결형으로 대답하기 · 하루 일과 말해 보기 · 친구 초대하기	· 시간에 관련된 어휘 · 바쁘다, 나쁘다

단원	주제 및 상황	기능	문법 및 표현	활동	어휘
17과	간단한 대화 나누기	· 개인 정보 얻기 · 가족 관계 이야기하기 · 사실 확인하기	· N-이에요/예요 · N-(이)세요? · 확인의 종결어미 N-(이)지요?	· 가족에 대한 글을 읽고 대화 완성하기 · 그림 보고 가족 상황 말하기	· 가족 호칭 · 직업 관련 어휘 · 어느
18과	취미	· 제안하기 · 거절하기 · 개인 기호 나타내기 · 이유 말하기	· 이유의 연결어미 S-아서/어서 · 부정 표현 못 V · N을/를 좋아하다 · N이/가 좋다	· 인터뷰하기 (친구의 기호나 취미) · 적절한 연결어미로 문장 연결하기 · 그림 보고 이유의 연결어미 써서 대답하기	· 기호와 관련된 어휘 · 왜 · 다음
19과	생일	· 과거 사실에 대해 표현하기 · 경험 말하기	· 동시의 연결어미 V-(으)면서 · N도 V-고 N도 V · 접속부사(그래서) · 'ㄷ' 불규칙 활용	· 생일 축하 풍습과 음식에 대해 말해 보기 · 생일 축하 노래 부르기	· 생일 관련 어휘
20과	여행	· 여행 경험 이야기하기 · 여행 계획 이야기하기 · 주위 상황 묘사하기	· 관형사형 어미 (-는) V-는 N · 'ㅂ' 불규칙 활용	· 여행 스케줄 말하기 · 교통편 시간표 말하기 · 읽고 적절한 관형 사형으로 바꿔 쓰기	· 여행에 관련된 어휘 (떠나다, 도착하다 등)
21과	물건 구입	· 제안하기 · 구매 의사 표현하기 · 교통 수단 표현하기 · 거리감 표현하기 · 속도 표현하기	· 희망의 보조형용사 V-고 싶다 · 가능/능력의 표현 V-(으)ㄹ 수 있다 · S-(으)니까요 · 'ㄷ' 불규칙 활용	· 희망, 가능 표현의 대치 연습하기 · 전화해서 친구에게 쇼핑 제안하기	· 수량명사(벌) · 거리감 표현 · 사다

단원	주제 및 상황	기능	문법 및 표현	활동	어휘
22과	주말 계획	·대조해서 말하기 ·화제 전환하기 ·배경 설명하며 말하기 ·계획 말하기	·배경의 연결어미 (는데) S-ㄴ데/은데/는데 ·미래 시제 V-(으)ㄹ 거예요 ·N와/과 같이/함께 ·N 전에	·그림 보고 배경 설명하며 말하기 ·주말 계획 묻고 대답하기	·수량명사(권) ·일상 생활 관련 어휘 (편지, 쓰다, 며칠 등)
23과	약국	·증상 설명하기 ·지속 기간 말하기 ·정중하게 제안하기 ·추측해서 묻고 대답하기	·추측의 표현 A/V-(으)ㄹ까요? A/V-(으)ㄹ 거예요 ·관형사형 어미(-은) A-ㄴ/은 N ·시도의 보조동사 V-아/어 보다 ·보조사 N부터	·약국 상황을 나타내는 만화 보고 대화 완성하기 ·내일 날씨 추측해 보기 ·유행에 대해 말하기	·가게 관련 어휘 (얼마, 사과 등) ·신체 부위 ·증상에 관련된 어휘 (열이 있다, 기침을 하다)
24과	다방	·시간의 전후 표현하기 ·주문하기 ·이유 말하기 ·간략하게 대답하기 ·사과하기	·능력, 가능의 보조동사 V-(으)ㄹ 수(가)없다 ·N 후에 ·N-요 ·'ㄹ' 불규칙 활용	·식당(다방)에서 주문해 보기 ·그림 보고 할 수 없는 이유 말하기	·식생활 관련 어휘 (들다, 더 등) ·음료 관련 어휘
25과	하루 일과	·거주지 말하기 ·하루 일과 말하기 ·기간 표현하기 ·도움 요청하기	·N-인데 ·봉사의 보조동사 V-아/어 주다	·서로 자신의 일과 이야기하기 ·그림 보고 하루 일과 쓰기	·일상 생활 관련 어휘 (살다, 세수하다 등) ·돕다
26과	다방	·가격 알아내기 ·사실 확인하기 ·감탄 표현하기 ·물건값 비교하기 ·돈 계산하기 ·감사 표현하기	·미래 시제 V-(으)ㄹ게요 ·A/V-지요? A/V-았지요/었지요? ·감탄형 종결어미 A-군요 ·'ㄹ' 불규칙 활용	·식당에서 음식값 비교하기 ·거스름돈 받고 확인하기 ·그림 보고 감탄 표현하기 ·여러 가지 미래 시제로 표현하기	·구매에 관련된 어휘 (값, 내다 등) ·오르다, 빠르다 ·또

단원	주제 및 상황	기능	문법 및 표현	활동	어휘

27과	방학 계획	· 고향 소개하기
		· 방학 계획 말하기
		· 계절에 대해
		  이야기하기
		· 동작의 진행
		  표현하기
			· 진행의 보조동사
			  V-고 있다
			· 조건의 연결어미
			  S-(으)면 S
			· 주격 조사
			  N께서(는)
				· 고향에 보내는 편지
				  완성하기
				· 진행형으로
				  대답하기
				· 일상 생활에서
				  생기는 문제 해결하기
					· 계절
					· 방학

28과	계획	· 비교하기
		· 주말 계획 말하기
		· 건물이나 장소·위치
		  나타내기
		· 책방에서 물건
		  구입하기
			· 미래시제
			  V-(으)ㄹ 것이다
			· 보조사
			  N보다 (더) A
			· 관형사형 어미(-을)
			  V-ㄹ/을 N
			· 다 V
				· 두 가지 대상
				  비교하기
				  (값, 크기, 날씨 등)
				· 비교해서 기호
				  말하기
				· 관형사형 넣어서
				  글 완성하기
					· 책방 관련 어휘
					· 크다

29과	은행	· 정중하게 제안하기
		· 환전하기
		· 화제 전환하기
		· 감탄 나타내기
		· 겸손하게 표현하기
		· 완료되지 않은 사실
		  표현하기
		· 능력 표현하기
			· 감탄형 종결어미
			  V-는군요
			· 접속부사(그런데)
			· 봉사의 보조동사
			  V-아/어 드리다
			· V을/를 잘하다/
			  잘 못하다
			· 아직(+부정 표현)
				· '그런데'를 넣어서
				  문장 이어가기
				· 물건이나 돈 바꾸기
				· 정중하게 도움
				  요청하기
					· 은행 관련 어휘
					  (바꾸다, 잔돈 등)

30과	주말이야기	· 종류 표현하기
		· 성격 표현하기
		· 기호 나타내기
		· 부정의문으로
		  질문, 대답하기
			· 목적의 연결어미
			  V-(으)러 가다/오다
			· 어떤 N
			· N-은요/는요?
			· 부정 의문문 안 V
				· 좋아하는 영화에
				  대해 말해 보기
				· 친구와 같이 주말
				  계획 세우기
				· 부정 의문문에 대해
				  적절히 대답하기
				· 전화로 영화 구경
				  제안하기
				· 다양한 접속부사
				  써서 표현하기
					· 느낌 표현
					  (그저 그렇다,
					  심심하다 등)
					· 일상 대화에 관련된
					  어휘

차 례
Contents

한글 (1)

Korean Alphabet 1

자음 (consonants)

글자 (letter)	ㄱ	ㄴ	ㄷ	ㄹ	ㅁ	ㅂ	ㅅ	ㅇ	ㅈ	ㅎ
음가 (sound value)	[k]	[n]	[t]	[l]	[m]	[p]	[s]	[ŋ]	[c]	[h]

글자 (letter)	ㅋ	ㅌ		ㅍ		ㅊ
음가 (sound value)	[kʰ]	[tʰ]		[pʰ]		[cʰ]

글자 (letter)	ㄲ	ㄸ		ㅃ	ㅆ		ㅉ
음가 (sound value)	[k']	[t']		[p']	[s']		[c']

모음 (vowels)

글자 (letter)	ㅏ	ㅓ	ㅗ	ㅜ	ㅡ	ㅣ	ㅔ	ㅐ	ㅚ	ㅟ
음가 (sound value)	[a]	[ə]	[o]	[u]	[ɨ]	[i]	[e]	[æ]	[ö/we]	[ü/wi]

글자 (letter)	ㅑ	ㅕ	ㅛ	ㅠ		ㅖ	ㅒ
음가 (sound value)	[ja]	[jə]	[jo]	[ju]		[je]	[jæ]

글자 (letter)	ㅘ	ㅝ		ㅢ		ㅞ	ㅙ
음가 (sound value)	[wa]	[wə]		[ɨi]		[we]	[wæ]

한글

가	갸	거	겨	고	교	구	규	그	기
나	냐	너	녀	노	뇨	누	뉴	느	니
다	댜	더	뎌	도	됴	두	듀	드	디
라	랴	러	려	로	료	루	류	르	리
마	먀	머	며	모	묘	무	뮤	므	미
바	뱌	버	벼	보	뵤	부	뷰	브	비
사	샤	서	셔	소	쇼	수	슈	스	시
아	야	어	여	오	요	우	유	으	이
자	쟈	저	져	조	죠	주	쥬	즈	지
차	챠	처	쳐	초	쵸	추	츄	츠	치
카	캬	키	켜	코	쿄	쿠	큐	크	키
타	탸	터	텨	토	툐	투	튜	트	티
파	퍄	퍼	펴	포	표	푸	퓨	프	피
하	햐	허	혀	호	효	후	휴	흐	히

읽기, 쓰기

자음＼모음	ㅏ	ㅑ	ㅓ	ㅕ	ㅗ	ㅛ	ㅜ	ㅠ	ㅡ	ㅣ
ㄱ 기역										
ㄴ 니은										
ㄷ 디귿										
ㄹ 리을										
ㅁ 미음										
ㅂ 비읍										
ㅅ 시옷										
ㅇ 이응										
ㅈ 지읒										
ㅊ 치읓										
ㅋ 키읔										
ㅌ 티읕										
ㅍ 피읖										
ㅎ 히읗										

한국어 모음도와 입술모양
Korean Vowel Chart and Shape of Lips

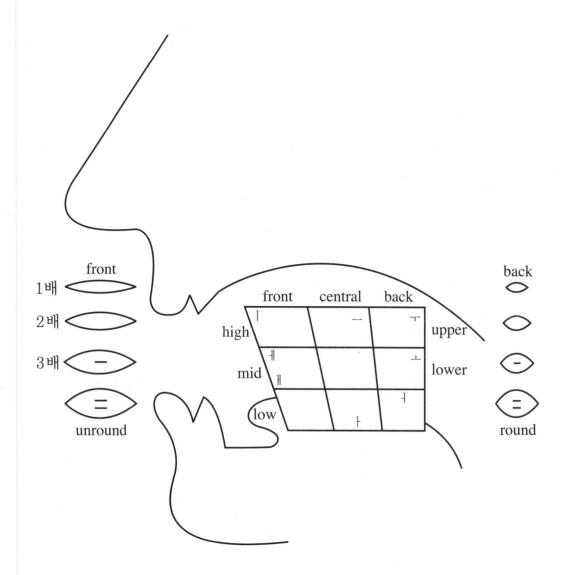

한글 (2)
Korean Alphabet 2

읽기

ㅇ. 아이   오이   아우

ㄱ. 가구   고기   거기

ㄴ. 나   너   누나

ㄷ. 구두   어디   나가다

ㄹ.
　　　다리　　　　　　　나라　　　　　　　우리

연습

1) 아가　　　기러기　　　누구　　　노루　　　라디오

쓰기

모음

	1	2	3
ㅏ			
ㅓ			
ㅗ			
ㅜ			
ㅡ			
ㅣ			

자음

	1	2	3
ㅇ			
ㄱ			
ㄴ			
ㄷ			
ㄹ			

모음 자음	ㅏ	ㅓ	ㅗ	ㅜ	ㅡ	ㅣ
ㅇ	아		오			
ㄱ		거		구		
ㄴ			노			
ㄷ	다				드	
ㄹ		러				리

한글 (3)

Korean Alphabet 3

읽기

ㅁ.   나무   머리   어머니

ㅂ.   바나나   비누   나비

ㅅ.	소	사이	서다

ㅈ.	지구	모자	아주머니

ㅎ.	오후	호수	허리

연습

1) 거미   다리미   머리   모기   바구니

2) 바다   사자   소나무   야구   여가

3) 바지   저고리   지도   지하   호수

쓰기

모음

	1	2	3
ㅑ			
ㅕ			
ㅛ			
ㅠ			

자음

	1	2	3	4
ㅁ				
ㅂ				
ㅅ				
ㅈ				
ㅎ				

자음＼모음	ㅏ	ㅑ	ㅓ	ㅕ	ㅗ	ㅛ	ㅜ	ㅠ	ㅡ	ㅣ
ㅁ		먀				묘				
ㅂ				벼						
ㅅ								슈		
ㅈ				져						
ㅎ					호					

한글 (4)

읽기

ㅊ.　　차　　　　　고추　　　　　치마

ㅋ.　　코　　　　　키　　　　　크다

ㅌ.　　투수　　　　타자기　　　　도토리

ㅍ.　　파　　　　　포도　　　　　표

연습

1) 소쿠리   조카   커피   투우사

2) 우표   코트   파도   파리

3) 기차   마차   하마   혀

쓰기

자음

	1	2	3	4
ㅊ				
ㅋ				
ㅌ				
ㅍ				

모음 자음	ㅏ	ㅑ	ㅓ	ㅕ	ㅗ	ㅛ	ㅜ	ㅠ	ㅡ	ㅣ
ㅊ					초					
ㅋ		캬			코				크	
ㅌ			터							티
ㅍ	파			펴	표					

한글 (5)

읽기

ㄲ.   까치   꼬리

ㄸ.   띠   뜨다   따다

ㅃ.   뿌리   빠르다   아빠

ㅆ.   싸다   쓰다   아저씨

ㅉ.　　　짜다　　　　　찌르다

연습

1) 가꾸다　　　꾸미다　　　따르다　　　떠나다　　　또

2) 아빠　　　　바쁘다　　　뿌리　　　싸다　　　　싸우다

3) 가짜　　　　찌개　　　　찌르다

쓰기

모음 자음	ㅏ	ㅑ	ㅓ	ㅕ	ㅗ	ㅛ	ㅜ	ㅠ	ㅡ	ㅣ
ㄲ	까									
ㄸ			떠							
ㅃ					뽀					
ㅆ							쑤			
ㅉ									쯔	

한글 (6)

읽기

ㅐ.

개미

해

새

ㅔ.

게

세 개

체조

ㅒ.

얘기

ㅖ.

시계

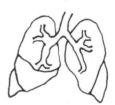

폐

와.   사과   화가

왜.   돼지   왜

외.   외우다   외래어   회사

워.   더워요   추워요   무거워요

ㅞ.　궤도

ㅟ.　위　　　　　　　　귀　　　　　　　　뛰다

ㅢ.　의사　　　　　　　의자　　　　　　　회의

연습

1) 내　　　　모래　　　재미　　　때

2) 계주　　　세계　　　제

3) 외가　　　봐요　　　쉬다　　　화구

쓰기

	1	2	3	4	5
ㅒ					
ㅖ					
ㅒ					
ㅖ					
ㅘ					
ㅙ					
ㅚ					
ㅝ					
ㅞ					
ㅟ					
ㅢ					

한글 (7)

읽기

ㄱ, ㅋ, 　벽　　　　　부엌　　　　　밖
ㄲ.

ㄴ.　　　눈　　　　　　산　　　　　　문

ㄷ, ㅅ,　걷다　　　　　옷　　　　　　낮다
ㅈ, ㅊ,
ㅌ, ㅎ.

　　　　꽃　　　　　　밑　　　　　　히읗

ㄹ.　쌀　　　　발　　　　달　　　　팔

ㅁ.　봄　　　　　곰　　　　　엄마

ㅂ, ㅍ.　집　　　　잎　　　　무릎

ㅇ.　병원　　　　공　　　　창문

연습

1) 국수   낚시   부엌   한국

2) 언니   편지

3) 늦다   다섯   빛   숟가락   꽃

4) 달걀   딸기   빨래

5) 남자   마음

6) 입구   입술   늪   숲

7) 가방   관광지   상품

쓰기

	누	사	무
ㄴ			

	싸	바	다
ㄹ			

1과 이것은 무엇입니까?

이것은 무엇입니까?
책상입니다.
저것은 무엇입니까?
저것은 의자입니다.

What Is This?

What is this?
It is a desk.
What is that?
That is a chair.

과 lesson
이것 this
은 topic particle
무엇 what
–입니까/입니다 to be
책상 desk
저것 that

의자 chair

★ 발음 pronunciation
문법 grammar
책 book
창문 window
볼펜 ball-point pen
문 door
연필 pencil

발음
Pronunciation

① 이것 [이걷]　　　　　저것 [저걷]
② 이것은 [이거슨]　　　저것은 [저거슨]
③ 책상 [책쌍]
④ 무엇입니까 [무어심니까]　　책상입니다 [책쌍임니다]
⑤ 의자 [의자]

문법
Grammar

① N은 무엇입니까?	What is N (Noun)?

이것은 무엇입니까?　　　　What is this?
저것은 무엇입니까?　　　　What is that?

② (이것은 / 저것은) N-입니다.	this/that is N

이것은 책상입니다.　　　　This is a desk.
이것은 의자입니다.　　　　This is a chair.
저것은 책상입니다.　　　　That is a desk.
저것은 의자입니다.　　　　That is a chair.

Notes

1. The final consonant of a syllable is pronounced as the initial sound of the following syllable when it begins with the consonant 'ㅇ' (i.e., when it begins with a vowel sound).
   Ex) 저것은 → [저거슨]
2. The particle 은 marks the topic of a sentence.
3. 입니까 is used in questions while 입니다 is used in statements.

연습
Exercise

①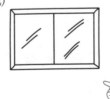

가 : (이것, 무엇)
　　이것은 무엇입니까?
나 : (책)
　　책입니다.

1) 가 : (이것, 무엇)
　　나 : (창문)

2) 가 : (이것, 무엇)
　　나 : (책상)

3) 가 : (저것, 무엇)
　　나 : (의자)

4) 가 : (저것, 무엇)
　　나 : (볼펜)

② 은, 입니다, 입니까?

1) 이것(은) 책(입니다).

2) 이것(　　　) 무엇(　　　　　)?

3) 저것(　　　) 책상(　　　　　)?

4) 저것(　　　) 볼펜(　　　　　).

③

이것은 의자입니다.　(O)
이것은 책입니다.　　(X)

1)

이것은 책상입니다.(　)

2)

저것은 창문입니다.(　)

3)

이것은 문입니다.(　)

④

가 : 이것은 무엇입니까?
나 : 책입니다.

1) (문)

가 : _____?
나 : _____.

2) (책상)

가 : _____?
나 : _____.

3) (연필)

가 : _____?
나 : _____.

4) (의자)

가 : _____?
나 : _____.

5) (창문)

가 : _____?
나 : _____.

⑤ 이것은 무엇입니까?

이	것	은		무	엇	입	니	까	?

2과 이것은 시계입니까?

이것은 시계입니까?
네, 시계입니다.
이것은 구두입니까?
아니오, 구두가 아닙니다.
그것은 운동화입니다.

Unit 2

Is This a Watch?

Is this a watch?
Yes, it is a watch.
Are these dress shoes?
No, those are not dress shoes.
Those are sneakers.

시계 watch
네 yes
구두 shoes
아니오 no
아닙니다 not to be
가 subject particle
그것 it
운동화 sneakers

★ 꽃 flower
이 subject particle
공책 notebook
나무 tree
가방 bag

발음
Pronunciation

① 시계 [시계]
② 아닙니다 [아님니다]
③ 꽃 [꼳]

문법
Grammar

① N은 N-입니까?	Is N N?

| 이것은 시계입니까? | Is this a watch? |
| 저것은 운동화입니까? | Are those sneakers? |

② 네, N-입니다	Yes, N is N.

| 네, 구두입니다. | Yes, they are dress shoes. |
| 네, 운동화입니다. | Yes, they are sneakers. |

③ 아니오, N이/가 아닙니다	No, (N) is not N.

아니오, 시계가 아닙니다.	No, it is not a watch.
아니오, 운동화가 아닙니다.	No, they are not sneakers.
아니오, 책이 아닙니다.	No, it is not a book.
아니오, 문이 아닙니다.	No, it is not a door.

④ 이것은 N-입니까?   Is this N?

네, (그것은) N-입니다.   Yes, it is.
아니오, (그것은) N이/가 아닙니다.   No, it isn't.

이것은 시계입니까?   Is this a watch?
- 네, (그것은) 시계입니다.   - Yes, that is a watch.

이것은 운동화입니까?   Are these sneakers?
- 아니오, (그것은) 운동화가 아닙   - No, those are not sneakers.
  니다.

연습

①

가 : (저것, 책) 저것은 책입니까?
나 : (네) 네, 책입니다.

1) 가 : (이것, 공책)
　 나 : (네)

2) 가 : (그것, 창문)
　 나 : (네)

3) 가 : (저것, 나무)
　 나 : (네)

4) 가 : (그것, 문)
　 나 : (네)

②

가 : (저것, 시계) 저것은 시계입니까?
나 : (아니오) 아니오, 시계가 아닙
　　　니다.

1) 가 : (이것, 나무)
　 나 : (아니오)

2) 가 : (저것, 볼펜)
　 나 : (아니오)

3) 가 : (저것, 문)
　 나 : (아니오)

4) 가 : (이것, 운동화)
　 나 : (아니오)

③ 가 : (저것, 공책) 저것은 공책입니까?
　 나 : (아니오, 책) 아니오, 공책이 아닙니다. 그것은 책입니다.

1) 가 : (이것, 구두)
　 나 : (아니오, 운동화)

2) 가 : (저것, 시계)
　 나 : (아니오, 볼펜)

3) 가 : (그것, 나무)
　 나 : (아니오, 꽃)

4) 가 : (저것, 책상)
　 나 : (아니오, 의자)

4

가 : (가방) 이것은 가방입니까?
나 : 아니오, 가방이 아닙니다.
가 : 이것은 문입니까?
나 : 네, 문입니다.

1)

가 : (책상) _____ ?
나 : _____ .
가 : _____ ?
나 : _____ .

2)

가 : (연필) _____ ?
나 : _____ .
가 : _____ ?
나 : _____ .

3)

가 : (구두) _____ ?
나 : _____ .
가 : _____ ?
나 : _____ .

4)

가 : (볼펜) _____ ?
나 : _____ .
가 : _____ ?
나 : _____ .

⑤ 1)

가 : 이것은 구두입니까?

나 : _____ .

2)

가 : 저것은 시계입니까?

나 : _____ .

3)

가 : _____ ?

나 : 네, 가방입니다.

4)

가 : _____ ?

나 : 그것은 창문입니다.

5)

가 : _____ ?

나 : 저것은 운동화입니다.

3과 안녕하십니까?

안녕하십니까?
제 이름은 김영숙입니다.
네, 반갑습니다, 영숙 씨.
저는 윌슨입니다.
저는 영국 사람입니다.
저는 한국어를 공부합니다.

Unit 3

Hello, How Do You Do?

Hello, how do you do?
My name is Youngsook Kim.
Nice to meet you, Youngsook.
I am Wilson.
I am English.
I study Korean.

안녕하십니까
　　How are you?
　　Hello, how do you do?
제 my
이름 name
반갑습니다 to be glad
씨 polite term of address
저 I
는 topic particle
영국 England

사람 person
한국어 Korean (language)
를 object particle
공부합니다 to study

★ 한국 Korea
을 object particle
밥 rice
먹다 to eat a meal
어휘 vocabulary

표현 expression
일본어 Japanese (language)
일본 Japan
중국 China
중국어 Chinese (language)
영어 English (language)
미국 The United States
선생님 teacher

발음
Pronunciation

① 안녕하십니까 [안녕하심니까]
② 반갑습니다 [반갑씀니다]
③ 한국어 [한구거]

문법
Grammar

① N은/는 N-입니다   N is N

저는 김영숙입니다.   I am Youngsook Kim.
저는 한국 사람입니다.   I am Korean.
윌슨은 영국 사람입니다.   Wilson is English.

② 제 N   My N

제 이름은 김영숙입니다.   My name is Youngsook Kim.
이것은 제 책입니다.   This is my book.
그것은 제 운동화가 아닙니다.   Those are not my sneakers.

③ N은/는 N을/를 V-ㅂ니다   N V N

저는 한국어를 공부합니다.   I study Korean.
윌슨은 일본어를 공부합니다.   Wilson studies Japanese.

* N은/는 N을/를 V-습니다   N V N

윌슨은 밥을 먹습니다.   Wilson eats his meal.

어휘와 표현

Vocabulary

① 영숙　　　　영숙 씨　　　　　Youngsook　　　Ms. Youngsook
　김영숙　　　　김영숙 씨　　　　Youngsook Kim　　Ms. Youngsook Kim

② 한국 사람　　한국어　　　　　Korean (person)　　Korean (language)
　일본 사람　　일본어　　　　　Japanese (person)　　Japanese (language)
　중국 사람　　중국어　　　　　Chinese (person)　　Chinese (language)
　영국 사람　　영어　　　　　　English (person)　　English (language)
　미국 사람　　영어　　　　　　American (person)　　English (language)

> **Notes**
>
> 1. 은/는 are particles which indicate the topic of a sentence. 은 is used when the preceding syllable ends with a consonant, while 는 is used when the preceding syllable ends with a vowel.
>   Ex) 저는, 윌슨은
> 2. 를 is a particle that marks the object of a verb.
> 3. −씨 is a term of address that can be added at the end of someone's name.
>   It can be used with the first name or full name, regardless of sex. It is rather impolite to use −씨 with the last name only.
>   Ex) 영숙 씨
> 4. 사람 is added after the country's name to indicate one's nationality, and 어 is added after the country's name to indicate that country's language:
>   Ex) 한국 : 한국 사람 : 한국어 / 일본 : 일본 사람 : 일본어
> 5. −ㅂ니다/습니다 are sentence endings. The alternative form −ㅂ니다 is added to verb stems ending with a vowel. −습니다 is used if the verb stem ends with a consonant.

연습
Exercise

① 가 : 미국 사람입니까?
　나 : (한국 사람) 아니오, 미국 사람이 아닙니다. 저는 한국 사람입니다.

　1) 가 : 한국 사람입니까?
　　　나 : (일본 사람)

　2) 가 : 일본 사람입니까?
　　　나 : (한국 사람)

　3) 가 : 영국 사람입니까?
　　　나 : (미국 사람)

　4) 가 : 미국 사람입니까?
　　　나 : (영국 사람)

② 가 : 윌슨 씨는 일본어를 공부합니까?
　나 : (한국어) 아니오, 저는 한국어를 공부합니다.

　1) 가 : 김영숙 씨는 영어를 공부합니까?
　　　나 : (일본어)

　2) 가 : 윌슨 씨는 중국어를 공부합니까?
　　　나 : (한국어)

　3) 가 : 김 선생님은 일본어를 공부합니까?
　　　나 : (중국어)

③

(김영숙)

저는 김영숙입니다.

1)

(한국 사람)

_____ .

2)

USA

(미국 사람)

_____ .

3)

가 나 다

(한국어)

_____ .

4)

(밥)

_____ .

④

(   )

(   )

(영숙)

(   )

영숙 씨는 한국 사람입니다.

윌슨 씨는 영국 사람입니다.

앙리 씨는 한국어를 공부합니다.

철수 씨는 일본어를 공부합니다.

⑤

이것은 제 책입니다.

1)

2)

3)

....

....

....

⑥ 저는

4과 여기는 어디입니까?

여기는 어디입니까?
여기는 서울대학교입니다.
우리는 외국 학생입니다.
우리는 서울대학교에서 한국어를 배웁니다.

선생님은 무엇을 하십니까?
나는 한국어를 가르칩니다.

Unit 4

Where Are We?

Where are we?
We are at Seoul National University.
We are foreign students.
We learn Korean at Seoul National University.

What do you do, sir/ma'am?
I teach Korean.

여기 this place, here
어디 where
서울대학교
    Seoul National University
우리 we
외국 foreign country
학생 student
에서 in, at
배웁니다 to learn
하십니까 to do

−시− honorific verb marker
나 I
가르칩니다 to teach

★ 서울 Seoul
교실 classroom
대학교 university
읽습니다 to read
읽으십니까
    Are you reading?
학교 school
집 house

발음
Pronunciation

① 대학교 [대하꾜]   학생 [학쌩]
② 외국 학생 [웨구칵쌩]
③ 읽습니다 [익씀니다]

문법
Grammar

| ① 여기는 N-입니다 | this (place) is N |

여기는 서울대학교입니다.	This (place) is Seoul National University.
여기는 한국입니다.	This (place) is Korea.
여기는 서울입니다.	This (place) is Seoul.

| 여기는 N-입니까? | Is this (place) N? |

여기는 서울입니까?	Is this (place) Seoul?
- 네, 여기는 서울입니다.	- Yes, this (place) is Seoul.
여기는 서울대학교입니까?	Is this (place) Seoul National University?
- 네, 서울대학교입니다.	- Yes, this (place) is Seoul National University.

| ② 여기는 어디입니까? | Where are we? |

여기는 어디입니까?	Where are we?
- 여기는 서울대학교입니다.	- We are at Seoul National University.
여기는 어디입니까?	Where are we?
- 교실입니다.	- We are in a classroom.

③ N은/는 N에서
N을/를 V-ㅂ니다/습니다

N V N at (in) N

우리는 서울대학교에서 한국어를
배웁니다.

We learn Korean at Seoul National University.

나는 대학교에서 영어를 가르칩니다.

I teach English at a university.

윌슨 씨는 서울에서 한국어를 공부
합니다.

Wilson studies Korean in Seoul.

영숙 씨는 교실에서 책을 읽습니다.

Youngsook is reading a book in a classroom.

④ N은/는 무엇을 V-ㅂ니까/습니까?

What does N V?

(What is N V-ing?)

영숙 씨는 무엇을 배웁니까?

What is Youngsook learning?

철수는 무엇을 공부합니까?

What is Chulsoo studying?

윌슨 씨는 무엇을 읽습니까?

What is Wilson reading?

⑤ V-시-ㅂ니까?

V + 시 honorific marker + verb ending

김 선생님은 무엇을 하십니까?

Mr./Ms. Kim, what do you do (for a living)?

- 나는 영어를 가르칩니다.

- I teach English.

윌슨 씨는 한국어를 배우십니까?

Are you learning Korean, Wilson?

- 네, 저는 한국어를 배웁니다.

- Yes, I am learning Korean.

V-으시-ㅂ니까?

V + 으시 honorific marker + verb ending

무엇을 읽으십니까?

What are you reading?

- 한국어책을 읽습니다.

- I'm reading a Korean language textbook.

어휘와 표현

Vocabulary

① 학교   school

대학교   university
서울대학교   Seoul National University

② 학생   student

외국 학생   foreign student
한국 학생   Korean student
미국 학생   American student
영국 학생   English student

③ 나[저]   I [I]

나는 서울대학교에서 한국어를
배웁니다.   I learn Korean at Seoul National University.

저는 외국 학생입니다.   I am a foreign student.

Notes

1. 을/를 are noun particles that mark the object of a sentence. 을 is used after a syllable that ends with a consonant. 를, on the other hand, comes after a syllable that ends with a vowel.
2. 에서
   에서 is a particle that indicates the place where the action in the verb phrase takes place.
3. ‒시‒/‒으시‒ is an honorific ending that comes between the verb stem and the ending.
4. Even though it is literally 'Seoul University', 서울대학교 is officially translated as 'Seoul National University' in English.
5. Both 나 and 저 mean 'I' in English. 저 is used when we address a person considered senior to us in status. 저 can also be deferential. 나 is used in casual situations. For example, we would use 저 when we talk to our teacher, whereas 나 is appropriate among friends.

연습
Exercise

① 가 : (서울) 여기는 서울입니까?
　　나 : (네) 네, 여기는 서울입니다.
　　　　(아니오) 아니오, 여기는 서울이 아닙니다.

1) 가 : (한국)
　　나 : (네)

2) 가 : (교실)
　　나 : (네)

3) 가 : (서울대학교)
　　나 : (네)

4) 가 : (일본)
　　나 : (아니오)

②

가 : 여기는 어디입니까?
나 : 여기는 집입니다.

1)

가 : 여기는 어디입니까?
나 : _____.

2)

가 : 여기는 어디입니까?
나 : _____.

3)

가 : _____?
나 : 여기는 미국입니다.

4)

가 : _____?
나 : 여기는 한국입니다.

③

가 : 선생님은 무엇을 가르치십니까?
나 : (한국어)
　　나는 한국어를 가르칩니다.

1) 가 : 윌슨 씨는 무엇을 배우십니까?
　 나 : (일본어) 나는 ＿＿＿＿＿＿＿＿＿＿＿＿.

2) 가 : 영숙 씨는 무엇을 공부하십니까?
　 나 : (영어) 나는 ＿＿＿＿＿＿＿＿＿＿＿＿＿＿.

3) 가 : 선생님은 무엇을 하십니까?
　 나 : (중국어) 나는 ＿＿＿＿＿＿＿＿＿＿＿＿.

4) 가 : 김 선생님은 무엇을 가르치십니까?
　 나 : (한국어) 나는 ＿＿＿＿＿＿＿＿＿＿＿＿.

④ 은, 는, 을, 를, 에서, 무엇, 어디

1) 여기(　　) 집입니다.
2) 선생님(　　) 한국어(　　) 가르치십니다.
3) 한국(　　　) 무엇(　　) 하십니까?
4) 가 : (　　　　)에서 공부하십니까?
　 나 : 서울대학교(　　　) 공부합니다.

⑤ 여기는 어디입니까?　　　•　　　　　• 아니오, 일본이 아닙니다.
　　외국 학생입니까?　　　　•　　　　　• 아니오, 한국어를 배웁니다.
　　한국어를 가르치십니까?　•　　　　　• 서울대학교입니다.
　　어디에서 한국어를 배웁니까? •　　　　• 네, 미국 사람입니다.
　　여기는 일본입니까?　　　•　　　　　• 서울대학교에서 배웁니다.

6 1)

(중국 사람)

가 : 한국 학생입니까?

나 : _____ .

_____ .

2)

(미국)

가 : 여기는 한국입니까?

나 : 아니오, _____ .

_____ .

3)

가 : 윌슨 씨는 어디에서 한국어를 공부합니까?

나 : _____ .

4)

가 : 선생님은 어디에서 무엇을 하십니까?

나 : _____ .

5과 식당에 가십니까?

월슨 씨, 어디에 가십니까?
저는 학교에 갑니다.
영숙 씨는 식당에 가십니까?
아니오, 식당에 가지 않습니다.
저는 도서관에 갑니다.
철수 씨도 같이 도서관에 갑니다.
우리는 도서관에서 책을 읽습니다.

Unit 5

Are You Going to a Restaurant?

Mr. Wilson, where are you going?
I'm going to school.
Youngsook, are you going to a restaurant?
No, I am not (going to a restaurant).
I'm going to the library.
Chulsoo is going with me.
We read books in the library.

식당 restaurant
에 to
갑니다 to go
가십니까 are you going?
−지 negative marker
않습니다 not
도서관 library
도 also
같이 together

★ 옵니다 to come
혼자 alone, by oneself
시장 market
다방 coffee shop
대답하세요 Please answer.

발음
Pronunciation

① 않습니다 [안씀니다]
② 같이 [가치]

문법
Grammar

① N은/는 N에 갑니다/갑니까?

N go to N

(N is going to N)

저는 학교에 갑니다.
철수는 도서관에 갑니다.
영숙 씨는 식당에 갑니까?
김 선생님은 영국에 가십니까?
선생님은 학교에 가십니다.

I am going to school.
Chulsoo is going to the library.
Is Youngsook going to the restaurant?
Is Mr. Kim going to England?
The teacher is going to school.

N은/는 N에 옵니다/옵니까?

N come to N

(N is coming to N)

윌슨 씨는 한국에 옵니다.
영숙 씨는 도서관에 옵니까?

Mr. Wilson is coming to Korea.
Is Youngsook coming to the library?

② N은/는 V-지 않습니다

N V not

(N is not V-ing)

우리는 도서관에 가지 않습니다.
영숙 씨는 일본에 가지 않습니다.
윌슨 씨는 일본어를 배우지 않습니다.
우리는 영어를 공부하지 않습니다.

We aren't going to the library.
Youngsook isn't going to Japan.
Mr. Wilson isn't learning Japanese.

We aren't studying English.

③ N도   N also

윌슨 씨는 영어를 가르칩니다.	Mr. Wilson teaches English.
저도 영어를 가르칩니다.	I also teach English.
우리는 학교에 갑니다.	We are going to school.
철수도 학교에 갑니다.	Chulsoo is also going to school.

④ 같이   together

철수 씨도 같이 도서관에 갑니다.	Chulsoo is (also) going with me to the library.
우리는 같이 공부합니다.	We study together.
윌슨 씨도 같이 배웁니까?	Does Mr. Wilson (also) study with you?

* 혼자   alone/by oneself

나는 혼자 공부합니다.	I study alone.
집에 혼자 갑니까?	Do you go home alone?
– 네, 혼자 갑니다.	- Yes, I go alone.

어휘와 표현

Vocabulary

①	영숙		Youngsook
	철수		Chulsoo
②	영숙 씨		Youngsook
	철수 씨		Chulsoo
③	영숙이는		Youngsook
	철수는		Chulsoo
④	영숙이도		Youngsook also
	철수도		Chulsoo also

> **Notes**

1. 선생님 is used to refer to a teacher regardless of sex, age or marital status.
2. −지 않습니다 is a negative marker which is added to the verb stem to form a negative sentence.
3. 에/에서
   As discussed in the previous lesson, 에서 indicates the place where the action in the verb phrase takes place. 에, on the other hand, is an adverbial suffix that denotes destination when it is followed by a verb associated with movement.
4. 이는/는 are topic particles that usually come after personal names. 이는 is used when the preceding syllable ends with a consonant, while 는 is used after a vowel.
5. 이도/도 are subject particles meaning 'also' or 'too'. 이도 is used when the preceding syllable ends with a consonant, while 도 is used after a vowel.

연습 1
Exercise 1

① 가 : (학교) 학교에 가십니까?
　 나 : (네) 네, 학교에 갑니다.

　1) 가 : (시장)
　　 나 : (네)

　2) 가 : (집)
　　 나 : (네)

　3) 가 : (도서관)
　　 나 : (네)

　4) 가 : (교실)
　　 나 : (네)

② 가 : (윌슨, 학교) 윌슨 씨, 학교에 가십니까?
　 나 : (아니오) 아니오, 학교에 가지 않습니다.
　　　 (집) 저는 집에 갑니다.

　1) 가 : (영숙, 다방)
　　 나 : (아니오)
　　　 (시장)

　2) 가 : (선생님, 시장)
　　 나 : (아니오)
　　　 (학교)

　3) 가 : (철수, 학교)
　　 나 : (아니오)
　　　 (다방)

　4) 가 : (영희, 도서관)
　　 나 : (아니오)
　　　 (식당)

연습 2

Exercise 2

① 5과를 읽고 대답하세요.

1) 윌슨 씨는 어디에 갑니까?
2) 영숙 씨는 식당에 갑니까?
3) 영숙 씨는 도서관에서 무엇을 합니까?
4) 윌슨 씨는 도서관에서 책을 읽습니까?

②

가 : 한국어를 가르치십니까?
나 : 아니오, 한국어를 가르치지 않습니다. 한국어를 배웁니다.

1)

가 : 집에 가십니까 ?
나 : ....
....

2)

가 : 철수 씨는 혼자 식당에 갑니까?
나 : ....
....

3)

가 : 영어를 공부하십니까?
나 : ....
....

4)

가 : 영숙 씨는 영어를 배웁니까?
나 : ....
....

③ 　저는 윌슨입니다. 저는 미국 학생입니다. 저는 서울대학교(에서) 한국어(　) 배웁니다. 다나카(　) 일본 학생입니다. 다나카(　) 한국어(　) 공부합니다. 저는 식당에 갑니다. 다나카(　) 갑니다. 우리(　) 식당(　) 같이 밥을 먹습니다.

④ **대답하세요.**

1) 어디에서 한국어를 배웁니까?

　⇨ _____ .

2) 집에서 한국어를 공부합니까?

　⇨ _____ .

3) 중국에 가십니까?

　⇨ _____ .

4) 도서관에서 무엇을 하십니까?

　⇨ _____ .

6과 오늘은 날씨가 어떻습니까?

오늘은 날씨가 어떻습니까?

날씨가 좋습니다.

덥습니까?

아니오, 덥지 않습니다.

춥습니까?

아니오, 춥지 않습니다. 오늘은 따뜻합니다.

일본은 요즈음 날씨가 어떻습니까?

How Is the Weather Today?

How is the weather today?
It's fine.
Is it hot?
No, it's not hot.
Is it cold?
No, it isn't. It's warm today.
How is the weather in Japan these days?

오늘 today	★ 나쁘다 to be bad
날씨 weather	비 rain
어떻다 to be how	눈 snow
좋다 to be good	잘 well
덥다 to be hot	맞다 to be correct
춥다 to be cold	그림 picture
따뜻하다 to be warm	고르다 to choose
요즈음 these days	

발음
Pronunciation

1 어떻습니까 [어떠씀니까]   좋습니다 [조씀니다]
2 따뜻합니다 [따뜨탐니다]

문법
Grammar

1 N이/가 A-ㅂ니다/습니다   N be A

날씨가 따뜻합니다.	It's warm.
도서관이 좋습니다.	The library is nice.
교실이 덥습니다.	The classroom is hot.
오늘은 날씨가 나쁩니다.	The weather is bad today.

2 N이/가 A-ㅂ니까/습니까?   be N A?

날씨가 따뜻합니까?	Is it warm?
날씨가 춥습니까?	Is it cold?
이것이 좋습니까?	Is this good?

3 N이/가 A-지 않습니다   N be not A

날씨가 따뜻하지 않습니다.	It's not warm.
날씨가 덥지 않습니다.	It's not hot.
가방이 좋지 않습니다.	The bag is not good.

④ N이/가 어떻습니까? | How be N?

날씨가 어떻습니까?   How is the weather?
책이 어떻습니까?   How is the book?

⑤ (N은/는) N이/가 A-ㅂ니다/습니다 | N N be A

오늘은 날씨가 좋습니다.   Today it's fine.
오늘은 날씨가 덥습니다.   Today it's hot.
오늘은 날씨가 춥습니까?   Is it cold today?
오늘은 날씨가 좋지 않습니다.   Today the weather is not good.

Notes

1. As mentioned in Unit 2, 이/가 are particles used mainly to mark the subject of a sentence. 이 is added to nouns ending with a consonant. 가, on the other hand, is used after nouns ending with a vowel.

①
날씨, 따뜻하다
⇨ 날씨가 따뜻합니다.

1) 시계, 나쁘다　　　　　　　2) 집, 춥다
3) 교실, 덥다　　　　　　　　4) 비, 오다
5) 눈, 오다　　　　　　　　　6) 가방, 좋다

②

가방, 좋다
⇨ 가방이 좋지 않습니다.

1) 운동화, 나쁘다　　　　　　2) 날씨, 덥다
3) 비, 오다　　　　　　　　　4) 일본, 따뜻하다
5) 도서관, 춥다　　　　　　　6) 교실, 덥다

③
 : (오늘, 날씨, 좋다) 오늘은 날씨가 좋습니까?
 : (네) 네, 좋습니다.
　　　(아니오) 아니오, 좋지 않습니다.

1) 가 : (일본, 따뜻하다)　　　　2) 가 : (영국, 덥다)
　　나 : (네)　　　　　　　　　　나 : (아니오)

3) 가 : (한국, 날씨, 좋다)　　　　4) 가 : (요즈음, 날씨, 나쁘다)
　　나 : (네)　　　　　　　　　　나 : (아니오)

5) 가 : (영국, 눈, 오다)　　　　　6) 가 : (서울, 비, 오다)
　　나 : (네)　　　　　　　　　　나 : (아니오)

연습 2

Exercise 2

① 6과를 읽고 O, X 하세요.

1) 오늘은 날씨가 나쁩니다.　　（　　）
2) 오늘은 덥지 않습니다.　　（　　）
3) 오늘은 따뜻하지 않습니다.　（　　）
4) 오늘은 눈이 옵니다.　　（　　）
5) 여기는 일본입니다.　　（　　）

②

👩 : 날씨가 좋습니까?
👨 : 네, 날씨가 좋습니다.

1) 　　가 : 날씨가 덥습니까?
　　나 : ....

2) 　　가 : 날씨가 따뜻합니까?
　　나 : ....

3) 　　가 : 날씨가 어떻습니까?
　　나 : ....

4) 　　가 : 비가 옵니까?
　　나 : ....

5) 　　가 : 눈이 옵니까?
　　나 : ....

6) 　　가 : 날씨가 나쁩니까?
　　나 : ....

③ 😊 : 학교가 좋습니까?

😊 : 네, 학교가 좋습니다.

1) 가 : _____ ?

나 : 네, 미국은 비가 옵니다.

2) 가 : _____ ?

나 : 아니오, 영국은 춥지 않습니다.

3) 가 : _____ ?

나 : 오늘은 날씨가 좋습니다.

4) 가 : _____ ?

나 : 네, 요즈음 중국은 눈이 옵니다.

5) 가 : _____ ?

나 : 네, 그것은 좋습니다.

④ **다음 대화를 읽고 쓰세요.**

😊 : 안녕하십니까? 제 이름은 영숙입니다.

😊 : 네, 반갑습니다, 영숙 씨. 제 이름은 윌슨입니다.

😊 : 윌슨 씨는 미국 사람입니까?

😊 : 아니오, 미국 사람이 아닙니다. 저는 영국 사람입니다.

😊 : 윌슨 씨는 한국에서 무엇을 하십니까?

😊 : 저는 서울대학교에서 한국어를 공부합니다.

😊 : 영국은 요즈음 날씨가 어떻습니까?

😊 : 영국은 요즈음 따뜻합니다.

1) 윌슨 씨는 미국사람입니까?

2) 윌슨 씨는 어디에서 공부합니까?

3) 윌슨 씨는 무엇을 공부합니까?

4) 영국은 요즈음 날씨가 춥습니까?

5) 영국은 요즈음 눈이 옵니까?

⑤ 잘 듣고 맞는 그림을 고르세요.

1) ① 　②

2) ① 　②

3) ① 　②

4) ① 　②

7과 오늘은 무슨 요일입니까?

오늘은 무슨 요일입니까?

오늘은 목요일입니다.

내일은 무엇을 하십니까?

학교에 갑니다.

토요일과 일요일에도 학교에 가십니까?

아니오, 주말에는 집에서 쉽니다.

텔레비전을 보고, 책을 읽습니다.

Unit 7

What Day Is Today?

What day is today?
It's Thursday.
What are you doing tomorrow?
I'm going to school.
Do you go to school on Saturdays and
Sundays as well?
No, I rest at home during the weekends.
I watch television and read books.

무슨 what
요일 day of the week
목요일 Thursday
내일 tomorrow
토요일 Saturday
와/과 and
일요일 Sunday
주말 weekend
쉬다 to take a rest
텔레비전 television

보다 to see
−고 and

★ 월요일 Monday
화요일 Tuesday
수요일 Wednesday
금요일 Friday
장미 rose
공원 park
친구 friend

영화 movie
수첩 weekly planner
쓰다 to write
연결하다 to link
틀리다 to be wrong

발음
Pronunciation

① 무슨 요일 [무슨뇨일]　　　월요일 [워료일]
② 일요일 [이료일]
③ 쉽니다 [쉼니다]

문법
Grammar

① N은/는 무슨 N-입니까?	What N be N?

오늘은 무슨 요일입니까?	What day is today?
– 오늘은 화요일입니다.	- Today is Tuesday.
이것은 무슨 책입니까?	What book is this?
– 그것은 한국어책입니다.	- That is a Korean language textbook.

② N에	[on] N

| 우리는 수요일에 도서관에 갑니다. | We go to the library on Wednesdays. |
| 나는 토요일에 학교에 가지 않습니다. | I don't go to school on Saturdays. |

N에도	N even/as well

| 철수는 일요일에도 학교에 갑니다. | Chulsoo goes to school even on Sundays. |
| 영희는 주말에도 도서관에서 공부합니다. | Younghee studies in the library during the weekend as well. |

N에는	N preposition of time

| 주말에는 집에서 쉽니다. | I rest at home during the weekends. |
| 금요일에는 학교에서 공부합니다. | On Fridays I study at school. |

③ N와/과 N   N and N

금요일과 토요일에는 학교에 갑니다.   I go to school on Fridays and Saturdays.

나는 영어와 한국어를 가르칩니다.   I teach English and Korean.

④ S-고 S   S and S

오늘은 날씨가 나쁘고 춥습니다.   Today it's cloudy and cold.

이것은 장미고 저것은 나무입니다.   This is a rose and that is a tree.

나는 도서관에 가고 윌슨 씨는 식당에 갑니다.   I'm going to the library and Wilson is going to a restaurant.

나는 한국어를 배우고 영어를 가르칩니다.   I learn Korean and teach English.

Vocabulary

어휘와 표현

일요일	월요일	화요일	수요일	목요일	금요일	토요일
Sunday	Monday	Tuesday	Wednesday	Thursday	Friday	Saturday

Notes

1. 에도/에는
   에도 is an emphasizer that is a combination of 에 and 도. 에 is equivalent to 'in', 'on', 'at' when it comes after a noun denoting time. Thus, '일요일에도' means 'even on Sunday' or 'Sunday as well'. 에는 is also an emphasizer which highlights the noun immediately preceding it. For example, '주말에는' differs from '주말에' in that the former emphasizes 주말 (weekend).

2. 와/과
   와/과 is used to connect two nouns in a sentence. 과 is used when the preceding noun ends with a consonant; otherwise, 와 is used.
   Ex) 커피와 주스, 책과 공책

3. -고
   -고 is a connective that links sentences.
   Ex) 이것은 책이고 저것은 공책이다.

연습 1

①

가 : (월요일)
　　월요일에 무엇을 하십니까?
나 : (학교, 공부하다)
　　월요일에는 학교에서 공부합니다.

1) 가 : (화요일)
　　나 : (도서관, 책을 읽다)

2) 가 : (목요일)
　　나 : (대학교, 중국어를 배우다)

3) 가 : (토요일)
　　나 : (시장, 가다)

4) 가 : (일요일)
　　나 : (집, 쉬다)

②

가 : 금요일에 집에서 쉽니까?
나 : (네) 네, 금요일에 집에서 쉽니다.
가 : (토요일) 토요일에도 집에서 쉽니까?
나 : (아니오, 시장) 아니오, 토요일에는
　　집에서 쉬지 않습니다. 시장에 갑니다.

1) 가 : 일요일에 집에서 쉽니까?
　　나 : (네)
　　가 : (월요일)
　　나 : (아니오, 학교)

2) 가 : 수요일에 도서관에 갑니까?
　　나 : (네)
　　가 : (목요일)
　　나 : (아니오, 집)

3) 가 : 금요일에 공원에 갑니까?
　　나 : (네)
　　가 : (토요일)
　　나 : (아니오, 식당)

4) 가 : 일요일에 다방에 갑니까?
　　나 : (네)
　　가 : (월요일)
　　나 : (아니오, 시장)

③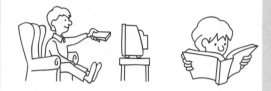

가 : 무엇을 하십니까?
나 : (텔레비전을 보다, 책을 읽다)
　　나는 텔레비전을 보고, 책을 읽습니다.

1) 가 : 선생님은 무엇을 하십니까?
　　나 : (영어를 배우다, 한국어를 가르치다)

2) 가 : 일요일에 무엇을 하십니까?
　　나 : (영화를 보다, 집에서 쉬다)

3) 가 : 오늘은 날씨가 어떻습니까?
　　나 : (춥다, 눈이 오다)

4) 가 : 토요일에 무엇을 하십니까?
　　나 : (책을 읽다, 시장에 가다)

연습 2
Exercise 2

① 7과를 읽고 대답하세요.

1) 오늘은 목요일입니까?
2) 내일은 무슨 요일입니까?
3) 내일도 학교에 갑니까?
4) 주말에도 학교에서 공부합니까?
5) 주말에는 집에서 무엇을 합니까?

②

 : 이것은 무슨 책입니까?

: 한국어책입니다.

1)

가 : 그것은 무슨 공책입니까?

나 : ....

2)

가 : 무슨 차가 좋습니까?

나 : ....

3)

가 : 윌슨 씨는 무슨 주스를 마십
니까?

나 : ....

4)

가 : 무슨 요일에 도서관에 갑니까?

나 : ....

③

: 일요일에도 학교에 가십니까?

: 아니오, 일요일에는 학교에 가지 않습니다.
집에서 텔레비전을 보고 쉽니다.

1)

가 : 금요일에도 시장에 가십니까?

나 : _____.

_____.

2)

가 : 화요일에도 공원에 가십니까?

나 : _____.

_____.

3)

가 : 친구도 같이 도서관에 갑니까?

나 : _____.

_____.

4)

가 : 주말에도 공부하십니까?

나 : _____.

_____.

④

 : 오늘은 날씨가 어떻습니까?

: 오늘은 날씨가 춥고 눈이 옵니다.

1)

가 : 한국은 요즈음 날씨가 어떻습니까?

나 : ....고 ....

2)

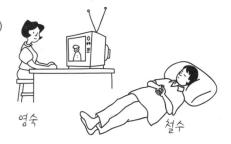

영숙   철수

가 : 내일은 무엇을 하십니까?

나 : 영숙이는 ....고
철수는 ....

3)

△△식당   나   도서관

가 : 토요일에는 어디에 가십니까?

나 : 나는 ....고
친구는 ....

4)

나

가 : 일요일에는 집에서 무엇을 하십니까?

나 : 윌슨 씨는 ....고
나는 ....

⑤ 수첩을 보고 쓰세요.

월: 한국어 공부, 공원
화: 책
수: 도서관
목: 도서관
금: 학교
토: 시장
일: TV, 친구집

오늘은 금요일입니다. 오늘은 학교에서 한국어를 공부합니다.

내일은 ....요일입니다. 토요일에는 학교에 가지 ....

.... 에 갑니다. 영숙 씨도 같이 .... 에 갑니다.

일요일에는 텔레비전을 ......고 ....

월요일에는 .... 에 가고 한국어를 ....

화요일에는 ....을/를 읽습니다.

수요일 .... 목요일에는 도서관 ....

⑥ 잘 듣고 그림과 연결하세요.

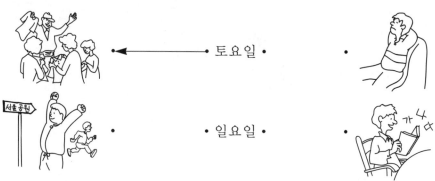

토요일 •

• 일요일 •

⑦ 잘 듣고 맞으면 O, 틀리면 X 하세요.

1) (　　　)
2) (　　　)
3) (　　　)

8과 내 방은 3층에 있어요

내 방은 3층에 있어요.
내 방에는 책상과 침대가 있어요.
침대 옆에는 무엇이 있어요?
침대 옆에는 텔레비전이 있어요.
냉장고도 있어요?
아니오, 냉장고는 없어요.
냉장고는 아래층에 있어요.

Unit 8

My Room Is on the Third Floor.

My room is on the third floor.
In my room there's a desk and a bed.
What is next to the bed?
There's a television next to the bed.
Is there also a refrigerator?
No, there's no refrigerator.
The refrigerator is downstairs.

내 my
방 room
층 floor
있다 to be, to exist
–아요/어요
    sentence ending
침대 bed
옆 beside, next to
냉장고 refrigerator

없다 not to exist
아래층 downstairs
★ 바지 pants, trousers
위 on, above
몇 how many
일하다 to work
아래 under
앞 in front of

모자 hat
일 one
이 two
삼 three
사 four
오 five
육 six
칠 seven
팔 eight

발음
Pronunciation

(1) 옆 [엽]   옆에는 [여페는]
(2) 없어요 [업써요]
(3) 위 [위]

문법
Grammar

(1) N은/는 N에 있어요	N be prep (preposition) N

내 방은 3층에 있어요.	My room is on the third floor.
냉장고는 아래층에 있어요.	The refrigerator is downstairs.
교실은 몇 층에 있어요?	What floor is the classroom on?

* N에는 N이/가 있어요	prep N there be N

3층에는 내 방이 있어요.	My room is on the third floor.
아래층에는 냉장고가 있어요.	The refrigerator is downstairs.

(2) V/A-아요	to V/to be A

좋다 ⇨ 좋습니다 ⇨ 좋아요	to be good
오다 ⇨ 옵니다 ⇨ 와요	to come
가다 ⇨ 갑니다 ⇨ 가요	to go

V/A-어요	

있다 ⇨ 있습니다 ⇨ 있어요	to be present
쉬다 ⇨ 쉽니다 ⇨ 쉬어요	to take a rest

공부하다	⇨ 공부합니다	⇨ 공부해요	to study
따뜻하다	⇨ 따뜻합니다	⇨ 따뜻해요	to be warm
일하다	⇨ 일합니다	⇨ 일해요	to work

③ N은/는 N에 없어요   there be no N prep N

냉장고는 내 방에 없어요.	There is no refrigerator in my room.
책상은 방에 없어요.	There is no desk in the room.

＊ N에는 N이/가 없어요   prep N there be no N

내 방에는 냉장고가 없어요.	In my room there is no refrigerator.
교실에는 텔레비전이 없어요.	In the classroom there is no television.

가다 ⇨ 가요	있다	⇨ 있어요	공부하다	⇨ 공부해요
좋다 ⇨ 좋아요	없다	⇨ 없어요	따뜻하다	⇨ 따뜻해요
오다 ⇨ 와요	쉬다	⇨ 쉬어요	일하다	⇨ 일해요
	가르치다	⇨ 가르쳐요		
	배우다	⇨ 배워요		

어휘와 표현
Vocabulary

① 내 N   my N

내 방은 2층에 있어요.	My room is on the second floor.
내 바지는 침대 위에 있습니다.	My pants are on the bed.

② N 옆[위, 아래, 앞]에　　　　　　　　prep N

책상 옆에 텔레비전이 있습니다.　　　Next to the desk there is a television.

침대 위에 모자가 있어요.　　　　　　On top of the bed there is a cap.

나무 아래에 무엇이 있습니까?　　　　What is under the tree?

학교 앞에 공원이 있어요?　　　　　　Is there a park in front of your school?

③

1 : 일	일층	일과	one	first floor	unit 1
2 : 이	이층	이과	two	second floor	unit 2
3 : 삼	삼층	삼과	three	third floor	unit 3
4 : 사	사층	사과	four	fourth floor	unit 4
5 : 오	오층	오과	five	fifth floor	unit 5
6 : 육	육층	육과	six	sixth floor	unit 6
7 : 칠	칠층	칠과	seven	seventh floor	unit 7
8 : 팔	팔층	팔과	eight	eighth floor	unit 8

위층　　　　　　　　　　　　　　　upstairs

아래층　　　　　　　　　　　　　　downstairs

Notes

1. 있다 expresses location when it comes after a 'noun + 에'.
2. −ㅂ니다/습니다 vs −아요/어요

Both are verb endings used to conclude a sentence in a polite style. The former is the most polite, formal style while the latter is a casual polite ending.

3. −아요/어요

These verb endings, which are appropriate in polite informal style speech, are used in different contexts. If the verb stem contains either 'ㅗ' or 'ㅏ', 아요 is appropriate. −해요 is added when the verb stem contains '하'; otherwise, −어요 follows the verb stem.

Ex) 나는 책을 봐요. 책상은 3층에 있어요. 영희는 공부를 해요.

연습 1

Exercise 1

① 철수, 학교, 가다
　⇨ 철수는 학교에 가요.

1) 오늘, 날씨, 좋다
2) 영숙 씨, 집, 쉬다
3) 김 선생님, 일본어, 배우다
4) 윌슨, 영어, 가르치다
5) 철수, 도서관, 공부하다
6) 교실, 2층, 있다

② 가 : 학교에 갑니까?
　나 : (네) 네, 학교에 가요.
　　　 (아니오) 아니오, 학교에 가지 않아요.

1) 가 : 월요일에 도서관에 옵니까?
　 나 : (네) ....
2) 가 : 주말에는 집에서 쉽니까?
　 나 : (아니오) ....

3) 가 : 오늘은 따뜻합니까?
　 나 : (네) ....
4) 가 : 서울대학교에서 공부합니까?
　 나 : (아니오) ....

연습 2

Exercise 2

① 8과를 읽고 대답하세요.

1) 내 방은 몇 층에 있어요?
2) 내 방에는 무엇이 있어요?
3) 냉장고는 내 방에 있어요?
4) 텔레비전은 어디에 있어요?

②

다나카 : 영숙 씨는 무엇을 해요?
철수　 : 영숙 씨는 영어를 가르쳐요.

1)

영숙　 : 철수 씨는 무엇을 해요?
다나카 : ....

2)

철수　 : 마이클 씨는 무엇을 해요?
영숙　 : ....

3)

마이클 : 영희 씨는 무엇을 해요?
다나카 : ....

4)

영희　 : 윌슨 씨는 무엇을 해요?
마이클 : ....

③ 그림을 보고 대답하세요.

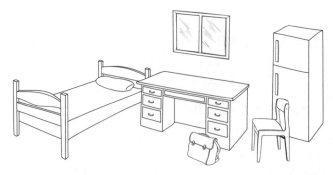

1) 침대는 어디에 있어요?
2) 냉장고는 어디에 있어요?
3) 책상은 어디에 있어요?
4) 가방은 어디에 있어요?

④

내 방입니다. 내 방에는 책상이 있어요. 책상 앞에는 의자가 있어요. 책상 위에는 전화가 있고, 책도 있어요. 구두는 의자 아래에 있어요. 침대는 책상 옆에 있어요. 가방도 책상 옆에 있어요. 냉장고와 텔레비전은 없어요.

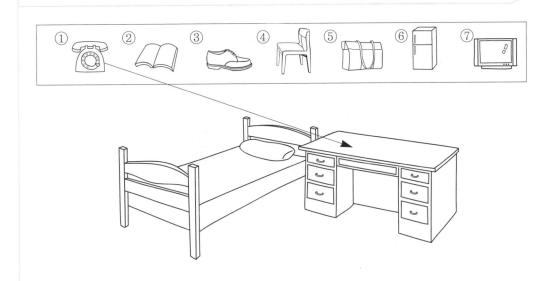

⑤ 잘 듣고 그림과 연결하세요.

1)

2)

3)

4)

5)

○○백화점

9
8
7
6
5
4
3
2
1

9과 어제 무엇을 했어요?

어제 무엇을 했어요?
시내에서 친구를 만났어요.
그리고 다방에서 차를 마시고, 극장에 갔어요.
무슨 영화를 보았어요?
'편지'를 보았어요.
음악이 아주 좋았어요.

What Did You Do Yesterday?

What did you do yesterday?
I met a friend downtown.
I also had some tea in a coffee shop,
and went to the movies.
What (movie) did you see?
I saw "Pyeonji."
The music was really good.

어제 yesterday
시내 downtown
만나다 to meet
그리고 and
차 tea
마시다 to drink
–았–/–었–
　　past tense marker
극장 theater

편지 letter (title of a movie)
음악 music
아주 very

★ 공부 study
커피 coffee
물 water
재미있다
　　to be interesting, fun
운동하다 to exercise
주스 juice

발음
Pronunciation

① 좋았어요 [조아써요]

문법
Grammar

① V/A-았어요/았습니다

V/A + past tense marker + sentence ending element

(polite informal)	(polite formal)	
영화를 보았어요.	⇐ 영화를 보았습니다.	I saw a movie.
음악이 좋았어요.	⇐ 음악이 좋았습니다.	The music was good.
차를 마시지 않았어요.	⇐ 차를 마시지 않았습니다.	I didn't drink tea.
철수를 만나지 않았어요.	⇐ 철수를 만나지 않았습니다.	I didn't meet Chulsoo.
극장에 갔어요.	⇐ 극장에 갔습니다.	I went to the movies.
친구를 만났어요.	⇐ 친구를 만났습니다.	I met a friend.

* V/A-었어요/었습니다

V/A + past tense marker + sentence ending element

(polite informal)	(polite formal)	
집에서 쉬었어요.	⇐ 집에서 쉬었습니다.	I rested at home.
영어를 가르쳤어요.	⇐ 영어를 가르쳤습니다.	I taught English.
책을 읽었어요.	⇐ 책을 읽었습니다.	I read a book.

* 했어요/했습니다

V/A + past tense marker + sentence ending element

(polite informal)	(polite formal)	
한국어를 공부했어요.	⇐ 한국어를 공부했습니다.	I studied Korean.
날씨가 따뜻했어요.	⇐ 날씨가 따뜻했습니다.	The weather was warm.

가다	⇨	갔어요	⇨	갔습니다
보다	⇨	보았어요	⇨	보았습니다
만나다	⇨	만났어요	⇨	만났습니다
좋다	⇨	좋았어요	⇨	좋았습니다
오다	⇨	왔어요	⇨	왔습니다

가르치다	⇨	가르쳤어요	⇨	가르쳤습니다
쉬다	⇨	쉬었어요	⇨	쉬었습니다
마시다	⇨	마셨어요	⇨	마셨습니다
배우다	⇨	배웠어요	⇨	배웠습니다

일하다	⇨	일했어요	⇨	일했습니다
공부하다	⇨	공부했어요	⇨	공부했습니다
따뜻하다	⇨	따뜻했어요	⇨	따뜻했습니다

② S-고 S

S and then S

나는 다방에서 차를 마시고 극장에 갔어요.

I had some tea in a coffee shop and then went to the movies.

친구를 만나고 도서관에서 공부했어요.

I met a friend and then studied in the library.

어제는 한국어 공부를 하고 친구를 만났어요.

Yesterday I studied Korean and then met a friend.

* 나는 텔레비전을 보고 친구는 책을 읽습니다.

* I am watching television and my friend is reading a book.

어휘와 표현

① N을/를 만나다 | to meet

친구를 만났어요. | I met a friend.
선생님을 만났습니다. | I met my teacher.
영숙이를 만나지 않았습니다. | I didn't meet Youngsook.

② N을/를 마시다 | to drink

차를 마셨어요. | I drank tea.
커피를 마셨습니다. | I drank coffee.
물을 마시지 않았어요. | I didn't drink water.

③ N을/를 보다 | to see/to watch/to read

어제 영화를 보았어요? | Did you see the movie yesterday?
텔레비전을 보았습니다. | I watched television.
책을 보지 않았어요. | I didn't read the book.

> **Notes**

1. −았−/−었−are markers that indicate the past tense of a verb. These past tense markers are usually inserted between the verb stem and the ending. −았− is inserted after −아 and −오,−했− comes after 하−, and −었− comes after the other vowels.
   Ex) 어제 영화를 보았어요. 내 방에 있었어요. 공부를 했어요.
2. English does not make a distinction between the polite informal and the polite formal levels of language.

연습 1
Exercise 1

① 오늘 학교에 가요. ⇨ 어제 학교에 갔어요.

　　1) 오늘 친구를 만나요.　　⇨ ....
　　2) 오늘 차를 마셔요.　　　⇨ ....
　　3) 오늘 집에서 쉬어요.　　⇨ ....
　　4) 오늘 영어를 배워요.　　⇨ ....
　　5) 오늘 한국어를 공부해요. ⇨ ....

② 어제는 날씨가 아주 좋았어요. ⇨ 오늘도 날씨가 아주 좋아요.

　　1) .... ⇨ 오늘도 책을 읽어요.
　　2) .... ⇨ 오늘도 집에 있어요.
　　3) .... ⇨ 오늘도 친구가 학교에 없어요.
　　4) .... ⇨ 오늘도 날씨가 아주 따뜻해요.
　　5) .... ⇨ 오늘도 영어를 가르쳐요.

③ 날씨가 좋았어요? ⇨ 네, 아주 좋았어요.

　　1) 음악이 좋았어요?　　　⇨ ....
　　2) 어제 날씨가 따뜻했어요? ⇨ ....
　　3) 영화가 재미있었어요?　 ⇨ ....

④ 가 : 어제 무엇을 했어요?
　 나 : 한국어를 공부하고 친구를 만났어요.

　　1) 가 : 목요일에 무엇을 했어요?　　2) 가 : 화요일에 무엇을 했어요?
　　　　나 : ....　　　　　　나 : ....

　　3) 가 : 월요일에 무엇을 했어요?
　　　　나 : ....

연습 2

Exercise 2

① 9과를 읽고 대답하세요.

1) 어제 어디에 갔어요?

2) 어제 무엇을 했어요?

3) 무슨 영화를 보았어요?

4) 음악이 좋았어요?

② 영화를, 무슨, 보았어요? ⇨ 무슨 영화를 보았어요?

1) 만났어요, 어제는, 시내에서, 제 친구를

⇨ ....

2) 차를, 갔어요, 극장에, 다방에서, 마시고

⇨ ....

3) 집에서, 일요일에는, 쉬고, 월요일에는, 갑니다, 학교에

⇨ ....

4) 숙제를, 우리는, 시장에, 하고, 같이, 갔어요.

⇨ ....

③ (   )에 쓰고 O, X 하세요.

어제는 날씨(가) 아주 좋았어요. 윌슨 씨와 나(   ) 같이 공원(   ) 갔어요. 그리고 공원(   ) 운동을 하고 공원 앞 다방(   ) 갔어요. 우리는 주스(   ) 마시고 집에 갔어요.

1) 어제는 날씨가 좋지 않았습니다.　　　(**X**)

2) 윌슨 씨는 다방에 가고, 나는 학교에 갔어요. (   )

3) 우리는 커피를 마셨어요.　　　　　　　(   )

4) 다방은 공원 앞에 있어요.　　　　　　　(   )

④ 1)

(친구를 만나다, 산에 가다)

날씨가 좋았어요.
.... 고 같이 ....

2)

(텔레비전을 보다, 책을 읽다)

어제 무엇을 했어요?

....

3)

(영화를 보다, 집에서
한국어를 공부하다)

토요일에 무엇을 했어요?

....

4)

(운동을 하다, 집에서 쉬다)

주말에 친구를 만났어요?
아니오, ...

5)

(도서관에 가다, 밥을 먹다)

금요일에 시장에 갔어요?
아니오, ...

⑤ 어제 무엇을 했어요?

....

....

....

⑥ 잘 듣고 맞는 답을 고르세요.

1) ① 친구 집　　　② 백화점　　　③ 극장

2) ① 가방　　　　② 책　　　　　③ 구두

3) 백화점은 어디에 있어요?
　 (　　　　　)에 있어요.

10과 어디에서 오셨어요?

마리 씨는 어디에서 오셨어요?

저는 프랑스에서 왔어요.

언제 한국에 오셨어요?

저는 2월 26일에 왔어요.

한국어 공부가 재미있어요?

네, 재미있지만 어려워요.

Where Are You From?

Marie, where are you from?
I'm from France.
When did you come to Korea?
I came on February 26.
Do you enjoy studying Korean?
Yes, I do, but it's difficult.

에서 from
프랑스 France
언제 when
월 month
일 day
−지만 but
어렵다 to be difficult

★ 쉽다 to be easy
맵다 to be hot (spicy)
재미없다
   to be uninteresting, boring
며칠
   what day of the month
유월 June
시월 October

구 nine
십 ten
호주 Australia
일 work
제주도 Chejudo

발음
Pronunciation

① 26일 [이심뉴길]
② 어려워요 [어려워요]   쉬워요 [쉬워요]

문법
Grammar

① N에서 오다	to come from N

어디에서 오셨어요?	Where are you from?
– 일본에서 왔어요.	- I'm from Japan.
미국에서 오셨어요?	Are you from America?
– 아니오. 미국에서 오지 않았어요.	- No, I'm not from America. I'm from England.
영국에서 왔어요.	

② V-(으)셨-	V + honorific ending (past)

언제 한국에 오셨습니까?	When did you come to Korea?
김 선생님이 프랑스에 가셨어요.	Mr./Ms. Kim went to France.
어제 무엇을 하셨어요?	What did you do yesterday?
어디에서 한국어를 배우셨어요?	Where did you learn Korean?
문 선생님이 책을 읽으셨습니다.	Mr./Ms. Moon read a book.

③ 어렵다	어렵습니다	어려워요	어려웠어요
쉽다	쉽습니다	쉬워요	쉬웠어요
덥다	덥습니다	더워요	더웠어요
춥다	춥습니다	추워요	추웠어요
맵다	맵습니다	매워요	매웠어요

to be difficult	is difficult	is difficult	was difficult
to be easy	is easy	is easy	was easy
to be hot	is hot	is hot	was hot
to be cold	is cold	is cold	was cold
to be hot (spicy)	is hot	is hot	was hot

④ S-지만 S
S but S

오늘은 날씨가 좋지만 더워요.
한국어는 재미있지만 어려워요.
내 방에 텔레비전은 있지만 냉장고
는 없어요.
나는 학교에 가지만 친구는 가지 않
아요.
이것은 나쁘지만 저것은 좋아요.
책이 쉽지만 재미없어요.

The weather is good today, but it's hot.
Korean (language) is interesting, but difficult.
There's a television in my room, but there's no
refrigerator.
I go to school, but my friend doesn't.

This is bad, but that is good.
The book is easy, but it's boring.

어휘와 표현
Vocabulary

① 언제
when

언제 한국에 오셨어요?
– 3월 21일에 왔어요.
언제 한국어를 배우셨어요?
이 선생님을 언제 만납니까?

When did you come to Korea?
- I came on March 21.
When did you learn Korean?
When are you going to meet Mr./Ms. Lee?

② 월 일 — dates

오늘은 며칠입니까?　　　　　　What is today's date?
- 8월 15일입니다.　　　　　　- It's August 15.
내일은 며칠입니까?　　　　　　What is tomorrow's date?
- 내일은 12월 31일입니다.　　　- Tomorrow is December 31.

월 — months

일월	이월	삼월	사월	오월	* 유월
칠월	팔월	구월	* 시월	십일월	십이월
January	February	March	April	May	June
July	August	September	October	November	December

일 — days of the month

1	일	one	6	육	six	11	십일	eleven
2	이	two	7	칠	seven	12	십이	twelve
3	삼	three	8	팔	eight	…	…	…
4	사	four	9	구	nine	…	…	…
5	오	five	10	십	ten	20	이십	twenty

Notes

1. −셨− is the reduced form of −시었, which is a combination of the honorific marker −시− and the past tense marker −었−. The element −시− always conveys respect towards the hearer.
2. −지만 is a conjunctive ending meaning '- is true, but...'. It is usually used to make contrasts.
3. 선생님, which literally means 'teacher', can also be used as an honorific word. It shows respect to the person being referred to, regardless of sex.
4. When we add the suffix −어 to a verb stem ending with 'ㅂ', the 'ㅂ' is first replaced with 'ㅜ', and then the appropriate form of −어 is added. The vowels 'ㅜ + ㅓ' combine to form 'ㅝ' respectively as can be seen in 어려우어 ⇨ 어려워.

연습 1

①

가 : (미국) 미국에서 오셨어요?

나 : (영국) 아니오, 영국에서 왔어요.

1) 가 : (영국)
   　나 : (프랑스)

2) 가 : (일본)
   　나 : (중국)

3) 가 : (프랑스)
   　나 : (미국)

4) 가 : (호주)
   　나 : (영국)

②

가 : 언제 한국에 오셨어요?

나 : (3월 21일) 삼월 이십일일에 왔어요.

1) 언제 일본에서 오셨어요? (2월 8일)
2) 언제 미국에서 오셨어요? (6월 6일)
3) 언제 극장에 가셨어요? (11월 29일)
4) 언제 시내에 가셨어요? (12월 22일)

③

가 : 어디에서 한국어를 배우셨어요?

나 : (일본) 일본에서 한국어를 배웠어요.

1) 가 : 어디에서 친구를 만나셨어요?
   　나 : (도서관)
2) 가 : 김 선생님이 언제 미국에 가셨어요?
   　나 : (10월 17일)
3) 가 : 어제 일을 하셨어요?
   　나 : (아니오)
4) 가 : 주말에 책을 읽으셨어요?
   　나 : (아니오)

④ 한국어, 재미있다 / 어렵다
⇨ 한국어는 재미있지만 어려워요.

1) 오늘, 춥다   / 좋다
2) 텔레비전, 있다 / 냉장고, 없다
3) 한국, 춥다   / 제주도, 춥지 않다
4) 나, 학교에 가다 / 마리 씨, 공원에 가다

연습 2
Exercise 2

① 10과를 읽고 대답하세요.

1) 마리 씨는 한국에 있어요?
2) 마리 씨는 요즈음 무엇을 해요?
3) 한국어 공부가 어떻습니까?

② 영희 : 윌슨 씨는 (어디)에서 오셨어요?
윌슨 : 저는 영국에서 왔어요.
영희 : (   ) 한국에 오셨어요?
윌슨 : 저는 3월 18일(   ) 왔어요.
영희 : 윌슨 씨는 영국에서 한국어(   ) 공부하셨어요?
윌슨 : 아니오, 한국(   ) 공부해요.
영희 : 한국어 공부가 (   )?
윌슨 : 네, 재미있지만 어려워요.

③ 가 : <u>어제 어디에 가셨어요?</u>
나 : 어제 식당에 갔어요.

1) 가 : <u>   </u> ?
   나 : 프랑스에서 왔어요.

2) 가 : <u>   </u> ?
   나 : 7월 19일에 일본에 갔어요.

3) 가 : <u>   </u> ?
   나 : 일본에서 한국어를 배웠어요.

4) 가 : <u>   </u> ?
   나 : '편지'를 보았어요.

5) 가 : <u>   </u> ?
   나 : 오늘은 10월 11일입니다.

④ 오늘은 6월 28일입니다. 이야기하세요.

가 : (한국) 언제 한국에 오셨어요?
나 : (6월 3일) 6월 3일에 왔어요.

6 월

일	월	화	수	목	금	토
			1	2	3 한국	4
5	6	7	8	9 친구	10	11
12	13	14	15	16	17	18
19	20	21	22	23	24	25
26	27	28 영화	29	30		

⑤ 언제 한국에 왔어요? 잘 듣고 쓰세요.

마이클

(1)월

일	월	화	수	목	금	토
						1
2	3	4	5	6	7	8
9	10	11	⑫	13	14	15
16	17	18	19	20	21	22
23	24	25	26	27	28	29
30	31					

1) 토니

(　)월

일	월	화	수	목	금	토
		1	2	3	4	5
6	7	8	9	10	11	12
13	14	15	16	17	18	19
20	21	22	23	24	25	26
27	28	29	30	31		

2) 윌슨

(　)월

일	월	화	수	목	금	토
		1	2	3	4	5
6	7	8	9	10	11	12
13	14	15	16	17	18	19
20	21	22	23	24	25	26
27	28	29	30	31		

3) 앙리

(　)월

일	월	화	수	목	금	토
1	2	3	4	5	6	7
8	9	10	11	12	13	14
15	16	17	18	19	20	21
22	23	24	25	26	27	28
29	30	31				

4) 다나카

(　)월

일	월	화	수	목	금	토
			1	2	3	4
5	6	7	8	9	10	11
12	13	14	15	16	17	18
19	20	21	22	23	24	25
26	27	28	29	30	31	

11과 거기 김 선생님 댁입니까?

윌슨　　　: 여보세요.
　　　　　거기 김 선생님 댁입니까?
아주머니 : 네, 그렇습니다. 실례지만, 누구세요?
윌슨　　　: 저는 윌슨입니다.
　　　　　김 선생님의 친구입니다.
　　　　　선생님 계십니까?
아주머니 : 아니오, 지금 안 계세요.
윌슨　　　: 아, 그러면 다시 전화하겠습니다.
　　　　　안녕히 계세요.

Unit 11

Is This Mr. Kim's Home?

Wilson : Hello, is this Mr. Kim's home?
Ma'am : Yes, it is. May I ask who's calling?
Wilson : This is Wilson.
　　　　I am a friend of his.
　　　　Is he in?
Ma'am : No, he is not here right now.
Wilson : Well, I will call again later, then.
　　　　Good-bye.

거기 there, that place
댁 home
여보세요 Hello
아주머니 aunt
그렇다 It is so.
실례지만 Excuse me, but
누구 who
−세요 verb ending
의 of
계시다 to be, to exist

지금 now
안 not
아 ah
그러면 then
다시 again
전화하다
　　to make a phone call
−겠− intentional ending
안녕히 in peace

★ 에게 to
누가 who
그래요
　　That's right (It is so).

발음
Pronunciation

① 실례지만 [실례지만]
② 선생님의 친구 [선생니메친구]
③ 계십니까 [계심니까/게심니까]

문법
Grammar

① N(의) N | N's N

김영숙 씨의 친구	Youngsook Kim's friend
김영숙 씨 친구	Youngsook Kim's friend
철수의 선생님	Chulsoo's teacher
철수 선생님	Chulsoo's teacher
나의 책(내 책)	my book(my book)
저의 책(제 책)	my book(my book)

② 누구 | who

오늘 누구를 만났습니까?	Who(m) did you meet today?
이것은 누구의 책입니까?	Whose book is this?
이 학생은 누구입니까?	Who is this student?
실례지만 누구세요?	Excuse me, but who is this?
누구에게 전화했어요?	Who did you call?
– 친구에게 전화했어요.	- I called a friend.

* 누가 | who

누가 왔습니까?	Who came over?
– 친구가 왔어요.	- A friend (came.over).
교실에 누가 계세요?	Who is in the classroom?
– 김 선생님이 계세요.	- Mr./Ms. Kim is in the classroom.

누가 전화를 했어요?　　　　　　　　　　Who called?
– 학생이 했어요.　　　　　　　　　　　　- A student called.

③ V-(으)세요　　　　　　　　　　V + sentence ending

선생님, 어디에 가세요?　　　　　　　Where are you going, sir/ma'am?
김 선생님은 한국어를 가르치세요.　　Mr./Ms. Kim teaches Korean.
박 선생님이 교실에 안 계세요.　　　　Mr./Ms. Park is not in the classroom.
존스 씨는 무슨 책을 읽으세요?　　　　Mr./Ms. Jones, what book are you reading?
윌슨 씨도 지금 공부하세요?　　　　　Wilson, are you also studying now?

④ 안 V　　　　　　　　　　not V

김 선생님이 지금 안 계십니다.　　　　Mr./Ms. Kim is not in now.
철수는 안 왔습니다.　　　　　　　　　Chulsoo did not come.
나는 윌슨 씨를 안 만났어요.　　　　　I did not meet Wilson.
영숙이는 오늘 학교에 안 갔어요.　　　Youngsook did not go to school today.

⑤ V-겠-　　　　　　　　　　intentional ending

다시 전화하겠습니다.　　　　　　　　I will call again.
한국어를 배우겠어요.　　　　　　　　I will learn Korean.
나는 주스를 마시겠어요.　　　　　　　I will drink juice.
언제 친구를 만나겠어요?　　　　　　When will you meet your friend?
토요일에 무엇을 하시겠습니까?　　　　What are you going to do on Saturday?

어휘와 표현
Vocabulary

① 있다 / 계시다 — to be somewhere (honorific form)

교실에 학생이 있습니다.	There is a student in the classroom.
선생님이 여기에 계십니까?	Is the teacher here?
안녕히 계세요.	Good-bye.

집 / 댁 — home (honorific form)

철수가 집에 있어요?	Is Chulsoo at home?
홍 선생님은 댁에 계세요.	Mr./Ms. Hong is at home.

② 여보세요. 거기 N-입니까? — Hello, is this N?

여보세요. 거기 홍 선생님 댁입니까?	Hello, is this Mr./Ms. Hong's house?
여보세요. 거기 영숙 씨 집입니까?	Hello, is this Youngsook's house?
여보세요. 거기 서울대학교입니까?	Hello, is this Seoul National University?

③ 그렇다 — to be so/to be right/to be correct

여기가 서울대학교입니까?	Is this (place) Seoul National University?
– 네, 그렇습니다. / –네, 그래요.	- Yes, it is.
여기가 서울대학교입니까?	Is this (place) Seoul National University?
– 아니오, 그렇지 않아요.	- No, it is not.

④ 실례지만 — Excuse me, but

실례지만, 누구십니까?	Excuse me, but who is this?
실례지만, 서울대학교 학생이세요?	Excuse me, but are you a Seoul National University student?

⑤ N(을/를) 하다   to do something

공부		to study
일	(을/를) 하다	to work
전화		to call

한국어를 공부합니다.   I'm studying Korean.
내일 일(을) 하겠어요.   I'm working tomorrow.
전화했어요.   I called.
무슨 공부를 하세요?   What are you studying?

⑥ 그러면   Then

김영숙 씨는 지금 집에 안 계세요.   Youngsook Kim is not home now.
– 그러면, 다시 전화하겠습니다.   - Then, I will call again.
김 선생님은 지금 안 계세요.   Mr./Ms. Kim is not here now.
– 그러면, 박 선생님은 계십니까?   - Then, is Mr./Ms. Park there?

Notes

1. 의 is a possessive marker equivalent to ''s' or 'of'. When 의 follows 나 or 저, '나의' or '저의' may contract to form 내 and 제 respectively.
2. –(으)세요 is the shortened form of the honorific marker –시 – plus a sentence ending marker –어요. –으세요 is used after a consonant and –세요 after a vowel.
3. 안 is a negative marker meaning 'not' or 'no'. It is usually followed by a verb.
4. –겠 – is an element that conveys the speaker's will, intention or plan.
5. 있다/계시다 both mean 'to be' or 'to exist'. 계시다 is an honorific form of 있다.
6. 집/댁 refer to a house or home. 댁 is the honorific counterpart of 집.
7. 그렇습니다/그래요 both mean 'it is true' or 'it is so'. The former is more formal and more polite than the latter.

연습 1

Exercise 1

① 가 : 오늘 학교에 갑니까?
　나 : <u>아니오, 안 갑니다.</u>

1) 가 : 지금 비가 옵니까?
　나 : (아니오)

2) 가 : 중국어를 배웁니까?
　나 : (아니오)

3) 가 : 커피를 마셔요?
　나 : (아니오)

4) 가 : '편지'를 보았어요?
　나 : (아니오)

5) 가 : 일요일에 집에서 쉬셨어요?
　나 : (아니오)

6) 가 : 주말에 일본에 가겠어요?
　나 : (아니오)

②

가 : 주말에 무엇을 하시겠어요?
나 : (공부) <u>공부하겠어요.</u>

1) 가 : 주말에 어디에 가시겠어요?
　나 : (시내)

2) 가 : 월요일에 무엇을 가르치시겠어요?
　나 : (일본어)

3) 가 : 주말에 누구를 만나시겠어요?
　나 : (친구)

4) 가 : 언제 친구 집에 가시겠어요?
　나 : (토요일)

5) 가 : 금요일에 무엇을 하시겠어요?
　나 : (집, 쉬다)

③ 나는 시내에 가요 ⇨ (어머니) 어머니도 시내에 가세요.

1) 영숙 씨는 누구를 만나요? ⇨ 어머니는 _____?
2) 나는 영어를 배워요.　　　 ⇨ 선생님도 _____.
3) 나는 책을 읽어요.　　　　 ⇨ 어머니도 _____.
4) 나는 식당에 있어요.　　　 ⇨ 아버지도 _____.
5) 친구가 교실에 없어요.　　 ⇨ 선생님도 _____.

④ 1) 가 : _____?
　　 나 : 이 사람은 김영숙입니다.

2) 가 : _____?
　 나 : 친구를 만나겠어요.

3) 가 : _____?
　　 나 : 월슨 씨에게 전화했어요.

4) 가 : _____?
　 나 : 제 책입니다.

5) 가 : 여보세요. 월슨 씨 계세요?
　　 나 : 실례지만, _____?
　　 가 : 저는 영숙입니다.

연습 2
Exercise 2

① 11과를 읽고 대답하세요.

1) 월슨 씨는 누구에게 전화합니까?
2) 선생님은 댁에 계십니까?
3) 월슨은 다시 전화합니까?

② 다시, 아주, 아래, 같이, 지금, 안

1) 날씨가 (아주) 좋습니다.
2) 가 : 지금은 사과가 없어요.
　　 나 : 그러면 내일 (　　　　) 오겠어요.

3) 여기는 3층입니다. 여기에는 여자 옷이 없어요. (   )층에 여자 옷이 있어요.

4) 어머니와 나는 (   ) 시장에 갔어요.

5) 어제는 비가 왔지만, 오늘은 (   ) 와요.

6) 윌슨 씨, (   ) 무엇을 해요?

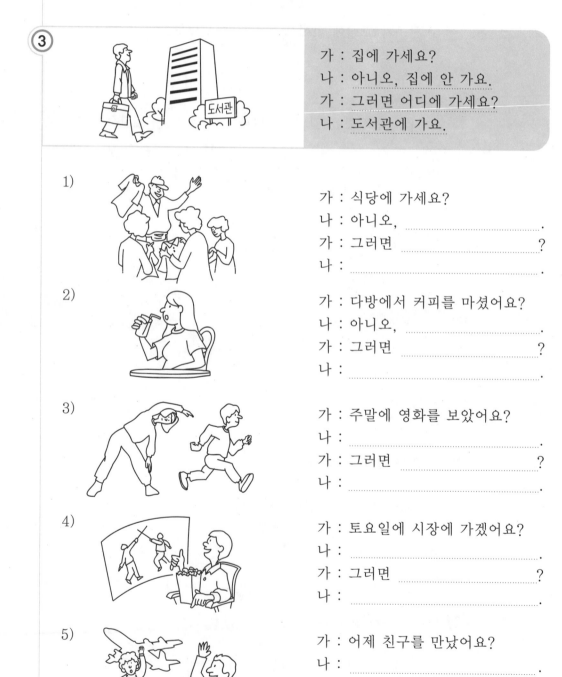

③

가 : 집에 가세요?
나 : 아니오, 집에 안 가요.
가 : 그러면 어디에 가세요?
나 : 도서관에 가요.

1)
가 : 식당에 가세요?
나 : 아니오, _____ .
가 : 그러면 _____ ?
나 : _____ .

2)
가 : 다방에서 커피를 마셨어요?
나 : 아니오, _____
가 : 그러면 _____ ?
나 : _____ .

3)
가 : 주말에 영화를 보았어요?
나 : _____ .
가 : 그러면 _____ ?
나 : _____ .

4)
가 : 토요일에 시장에 가겠어요?
나 : _____ .
가 : 그러면 _____ ?
나 : _____ .

5)
가 : 어제 친구를 만났어요?
나 : _____ .
가 : _____ ?
나 : 어머니 _____ .

④ 1) 가 : 이 선생님 _____ ?
　　나 : 네, _____. 누구 _____ ?
　　가 : 저는 _____ .

　　2) 가 : 철수 _____ ?
　　나 : 지금 집에 _____ .
　　가 : 그러면 _____ 전화하겠어요.

⑤ **다음 글을 읽고 쓰세요.**

> 윌슨은 영숙 씨 집에 전화했어요. 영숙 씨는 윌슨의 학교 친구입니다.
> 영숙 씨는 시장에 가고 없었어요. 그렇지만 어머니는 댁에 계셨어요.

윌슨　　: 여보세요. 거기 _____ 입니까?
어머니 : 네, 그래요. 누구세요?
윌슨　　: _____ . _____ 의 _____ 입니다.
　　　　　_____ ?
어머니 : 지금 _____ . _____ 에 갔어요.
윌슨　　: 아, 그러면 다시 _____ .
　　　　　안녕히 계세요.

⑥ **잘 듣고 맞으면 O, 틀리면 X 하세요.**
1) (　　　)
2) (　　　)
3) (　　　)

⑦ **잘 듣고 맞으면 O, 틀리면 X 하세요.**
1) (　　　)
2) (　　　)
3) (　　　)

12과 이 사과는 한 개에 얼마입니까?

아저씨 : 어서 오세요.

존스　　: 사과 좀 주세요.

　　　　 이 사과는 한 개에 얼마입니까?

아저씨 : 오백 원입니다.

존스　　: 네 개 주십시오. 맥주도 세 병 주세요.

아저씨 : 여기 있어요. 모두 칠천사백 원입니다.

How Much Is an Apple?

Mister : Welcome.
Jones　: I'd like some apples, please.
　　　　 How much is an apple?
Mister : 500 won each.
Jones　: I'd like four, please.
　　　　 And also, please give me three bottles of beer.
Mister : Here you are.
　　　　 All together, it's 7,400 won.

이 this
사과 apple
한 one
개 piece
에 per
얼마 how much
아저씨 uncle
어서 please
좀 please
주다 to give

백 hundred
원 won
네 four
-(으)십시오 please do
맥주 beer
세 three
병 bottle
모두 all together
천 thousand

★ 그 that
저 that
이거 this
저거 that
두 two
다섯 five
바나나 banana
만 ten thousand
콜라 cola
가게 shop, store

발음
Pronunciation

① 네 개 [네 개]   세 병 [세병]   가게 [가게]
② 계십시오 [계십씨오/게십씨오]

문법
Grammar

① 이[그, 저] N | this [that, that] N

이	꽃		this	flower
그	가게		that	store
저	사람		that	person

이 꽃은 얼마입니까? | How much are these flowers?
저 사람은 김 선생님의 친구입니다. | That (person) is Mr. Kim's friend.
그 가게가 어디에 있어요? | Where is the store?

* 이거 ⇐ 이것	this
그거 ⇐ 그것	that
저거 ⇐ 저것	that

② V-(으)세요 / (으)십시오 | please V

어서 오세요. | Welcome.
어서 오십시오. | Welcome.

안녕히 계세요. | Good-bye.
안녕히 계십시오. | Good-bye.

한국어를 배우세요. | Try learning Korean.
한국어를 배우십시오. | Try learning Korean.

이 책을 읽으세요. | Read this book, please.
이 책을 읽으십시오. | Read this book, please.

③ 개

사과	한		apple	1	
바나나	두	개	banana	2	item(s)
의자	세		chair	3	
가방	네		bag	4	

바나나 한 개에 얼마입니까?   How much are these bananas each?

사과 두 개(를) 주세요.   Please give me two apples.

의자 다섯 개(를) 주십시오.   Please give me five chairs.

병

맥주	한		beer	1	
콜라	두	병	cola	2	bottle(s)
주스	세		juice	3	

맥주 한 병에 얼마입니까?   How much is one bottle of beer?

콜라 두 병 주세요.   Give me two bottles of cola, please.

원

백		100	
천	원	1,000	won
만		10,000	

맥주 한 병에 천팔백 원입니다.   One bottle of beer is 1,800 won.

저 가방은 만오천 원이에요.   That bag is 15,000 won.

어휘와 표현

Vocabulary

① 어서 오세요 — Welcome

| 어서 오세요. | Welcome. |
| 어서 오십시오. | Welcome. |

② 좀 — please

| 물 좀 주세요. | Please give me some water. |
| 그 책 좀 주십시오. | Please give me that book. |

③ N은/는 얼마입니까? — How much is/are N?

저것은 얼마입니까?	How much is that?
– (저것은) 오백 원입니다.	- (It's) 500 won.
이 책은 얼마입니까?	How much is this book?
– 팔천 원입니다.	- (It's) 8,000 won.

N에 얼마입니까? — How much is one N?

사과 한 개에 얼마입니까?	How much is one of these apples?
– 삼백 원입니다.	- It's 300 won.
이것은 한 개에 얼마입니까?	How much is one of these?
– (그것은) (한 개에) 사백 원입니다.	- (It's) 400 won.

④ 모두 — all (together)/every

모두 얼마입니까?	How much is it all together?
– 모두 사천백 원입니다.	- All together it's 4,100 won.
모두 왔어요?	Is everyone here?
모두 어디에 갔어요?	Where did everyone go?
모두 우리 집에 오세요.	Come over to my place, everyone.

⑤ 여기 있습니다

Here you are

물 좀 주세요.	Please give me some water.
– 여기 있습니다.	- Here you go.
맥주 세 병 주십시오.	Give me three bottles of beer, please.
– 여기 있어요.	- Here you are.

연습 1

Exercise 1

① 😊 : (공부하다) 공부를 하세요.

😊 : (네) 네, 공부를 하겠어요.

1) 가 : (운동하다)
　　나 : (네)

2) 가 : (집에 전화하다)
　　나 : (네)

3) 가 : (미국에 가다)
　　나 : (네)

4) 가 : (한국어를 배우다)
　　나 : (네)

5) 가 : (책을 읽다)
　　나 : (네)

6) 가 : (내일 학교에 오다)
　　나 : (네)

② : 사과를 몇 개 사세요?

😊 : (3) 사과를 세 개 사요.

1) 가 : (가방)
　　나 : (1)

2) 가 : (맥주)
　　나 : (8)

3) 가 : (볼펜)
　　나 : (6)

4) 가 : (콜라)
　　나 : (5)

5) 가 : (의자)
　　나 : (4)

6) 가 : (주스)
　　나 : (6)

③ 사과 (5), 주스 (2)
　⇨ 사과 다섯 개와 주스 두 병 주세요.

1) 콜라 (2), 주스 (3)　　　⇨
2) 사과 (6), 맥주 (8)　　　⇨
3) 가방 (1), 시계 (3)　　　⇨

연습 2

Exercise 2

① 12과를 읽고 대답하세요.

1) 여기는 어디입니까?
2) 존스 씨는 무엇을 샀습니까?
3) 사과를 몇 개 샀어요?
4) 맥주는 한 병에 얼마입니까?

② 1) 거기 김 선생님 댁입니까?   •   • 500원입니다.
   2) 이 사과는 한 개에 얼마입니까? •   • 네, 그렇습니다.
   3) 이 선생님은 무엇을 하세요? •   • 댁에서 쉬세요.
   4) 어서 오세요.   •   • 네, 쉬겠어요.
   5) 오늘은 집에서 쉬세요.   •   • 사과 좀 주세요.

③

 2,000원

가 : 이 사과는 얼마입니까?
나 : 세 개에 2,000원입니다.

1)  2,600원

가 : _____?
나 : _____.

2) 13,000원

가 : _____?
나 : _____.

3) 4,000원

가 : _____?
나 : _____.

4) 30,000원

가 : _____?
나 : _____.

④

사과 좀 주세요.

1)

_____.

2)

_____.

3)

_____.

4)

_____.

⑤ 윌슨　：이 사과는 한 개에 얼마입니까? (1)
아저씨 : 육백 원입니다.　　　　　　　(600)
윌슨　：그러면 세 개 주세요.　　　　(3)
아저씨 : 모두 천팔백 원입니다.

1) 윌슨　：이 가방은 _____? (1)
　아저씨 : _____. (8,000)
　윌슨　：그러면 _____ 주세요. (2)
　아저씨 : 모두 _____ 입니다.

2) 윌슨　：이 시계는 _____? (1)
　아저씨 : _____. (15,000)
　윌슨　：그러면 _____ 주세요. (5)
　아저씨 : 모두 _____ 입니다.

3) 윌슨 : 이 콜라는 _____? (1)

아저씨 : _____. (450)

윌슨 : 그러면 _____ 주세요. (3)

아저씨 : 모두 _____ 입니다.

⑥ 읽고 맞으면 O, 틀리면 X 하세요.

아저씨 : 어서 오세요.

영희 : 아저씨, 사과 있어요?

아저씨 : 네, 있지만 오늘은 사과가 좋지 않아요.

영희 : 그러면 바나나는 어때요?

아저씨 : 바나나는 아주 좋아요.

영희 : 바나나는 한 개에 얼마예요?

아저씨 : 한 개에 오백 원입니다.

영희 : 여덟 개 주세요. 그리고 주스도 두 병 주세요.

아저씨 : 여기 있어요. 모두 육천 원입니다.

1) 오늘은 사과와 바나나가 모두 나쁩니다.　　(　　)
2) 영희는 사과를 사지 않았어요.　　(　　)
3) 주스는 두 병에 육천 원입니다.　　(　　)
4) 오늘은 가게에 사과가 없어요.　　(　　)
5) 영희는 바나나 한 개와 주스 두 병을 샀어요. (　　)

⑦ 잘 듣고 맞는 답을 고르세요.

1) 여기는 (극장, 가게)입니다.
2) 사과는 한 개에 (700원, 500원)입니다.
3) 나는 (사과, 바나나)를 샀어요.

⑧ 잘 듣고 맞는 답을 고르세요.

1) ① 　　② 　　③

2) ① 15,000원　　② 16,000원　　③ 17,000원

13과 뭘 드릴까요?

아주머니 : 어서 오세요. 여기 앉으세요.
　　　　　 뭘 드릴까요?
영숙　　 : 메뉴 좀 주세요.
　　　　　 윌슨 씨, 무엇을 먹을까요?
윌슨　　 : 불고기를 먹읍시다.
영숙　　 : 좋아요. 냉면도 먹을까요?
윌슨　　 : 네. 아주머니, 불고기하고 냉면 두 그릇 주세요.

Unit 13

What Would You Like to Have?

Ma'am 　　　: Come in please. Have a seat here.
　　　　　　　 What would you like?
Youngsook : Could I have a menu, please?
　　　　　　　 Wilson, what shall we have?
Wilson 　　 : Let's have pulgogi.
Youngsook : Sounds good.
　　　　　　　 Do you want to eat naengmyun, too?
Wilson 　　 : Sure. We'd like pulgogi and
　　　　　　　 two servings of naengmyun.

뭘 what
드리다
　 honorific form of 'to give'
-(으)ㄹ까요? shall I/we
앉다 to sit
메뉴 menu
불고기
　 pulgogi (barbecued beef)
-(으)ㅂ시다 let's
냉면 naengmyun (cold noodles)
하고 and
그릇 dish, bowl

★ 누굴 whom
뭐 what
잔 glass, cup
우유 milk
께 to

발음
Pronunciation

① 앉으세요 [안즈세요]
② 뭘 [뭘]
③ 먹읍시다 [머급씨다]

문법
Grammar

① V-(으)ㄹ까요?   shall we V?

도서관에 갈까요?   Shall we go to the library?
책을 읽을까요?   Shall we read a book?
무엇을 먹을까요?   What shall we eat?

② V-(으)ㅂ시다   let's V

(우리) 극장에 갑시다.   Let's go to the movies.
책을 읽읍시다.   Let's read a book.
무엇을 먹을까요?   What shall we have?
– 불고기를 먹읍시다.   - Let's have pulgogi.
언제 만날까요?   When shall we meet?
– 내일 만납시다.   - Let's meet tomorrow.

③ (N에게) N을/를 주다   to give N (to N)

나는 윌슨에게 사과를 줍니다.   I'm giving Wilson an apple.
철수는 영희에게 꽃을 주었어요.   Chulsoo gave Younghee some flowers.
(나에게) 그 볼펜 좀 주세요.   Please give me that ballpoint pen.

| (N께) N을/를 드리다 | to give N (to N) |

선생님께 사과 한 개를 드렸어요.　　　I gave an apple to the teacher.

아주머니께 이 책을 드리겠어요.　　　I will give you this book, ma'am.

뭘 드릴까요?　　　What would you like?

– 커피 한 잔 주세요.　　　- I would like (to have) a cup of coffee.

어휘와 표현
Vocabulary

| ① 뭘 | contracted forms of question words |

뭘　⇦　무엇을　　　what

누굴　⇦　누구를　　　whom

뭐　⇦　무엇　　　what

| ② N을/를 먹다 | to eat |

철수는 사과를 먹습니다.　　　Chulsoo is eating an apple.

밥(을) 먹었어요?　　　Have you eaten?

냉면을 먹을까요?　　　Shall we have naengmyun?

뭘 먹어요?　　　What shall we have?

| ③ 좋아요 | that sounds good |

냉면을 먹을까요?　　　Shall we have naengmyun?

– 네, 좋습니다.　　　- Yes, that sounds good.

극장에 갈까요?　　　Shall we go to the movies?

– 좋아요. 갑시다.　　　- That sounds good. Let's go.

④ N하고 N | N and N

불고기하고 냉면 주세요. | I'd like pulgogi and naengmyun, please.
공책하고 볼펜을 윌슨 씨에게 | I gave the notebook and the pen to Wilson.
주었어요.

N와/과 N | N and N

불고기와 냉면 주세요. | I'd like pulgogi and naengmyun, please.
나는 공책과 볼펜을 윌슨 씨에게 | I gave the notebook and the pen to Wilson.
주었어요.

⑤ 그릇

냉면	한			naengmyun	1	
	두				2	
밥	세	그릇		rice	3	bowl(s)
	네				4	

냉면 한 그릇하고 불고기 좀 | I'd like one bowl of naengmyun and pulgogi,
주세요. | please.
밥 두 그릇을 먹었어요. | I ate two bowls of rice.

잔

커피	한		coffee	1	
맥주	두		beer	2	
주스	세	잔	juice	3	glass(es)/cup(s)
물	네		water	4	
우유	다섯		milk	5	

맥주 세 잔 주세요. | I'd like three glasses of beer, please.
물 한 잔 주세요. | I'd like one glass of water, please.
우유 한 잔 마셨어요. | I drank a glass of milk.

1. -(으)ㄹ까요? is used to politely ask for an opinion in conversation.
2. -(으)ㅂ시다 is a sentence ending meaning 'let's'.
3. 주다/드리다 both mean 'to give'. 드리다 is the honorific term of 주다.
4. 에게/께 are usually added to a noun referring to a person to mean 'to + Noun'. 께 is the honorific form of 에게. 주다 follows -에게, while 드리다 follows 께.
   Ex) 영희에게 사과를 주었습니다. 선생님께 꽃을 드렸습니다.

연습 1
Exercise 1

① 커피 (1), 맥주 (1) ⇨ <u>커피 한 잔하고 맥주 한 병 주세요.</u>

1) 사과 (4), 우유 (1) 　　　　2) 맥주 (3), 주스 (2)

3) 냉면 (2), 맥주 (1) 　　　　4) 물 (2), 밥 (2)

② 가 : 무엇을 공부할까요?
　 나 : (한국어) <u>한국어를 공부합시다.</u>

1) 가 : 언제 갈까요? 　　　　　2) 가 : 누구를 만날까요?
　 나 : (내일) 　　　　　　　　 　나 : (영숙 씨)

3) 가 : 무슨 영화를 볼까요? 　　4) 가 : 뭘 마실까요?
　 나 : (한국 영화) 　　　　　　 　나 : (우유)

5) 가 : 무엇을 배울까요? 　　　6) 가 : 어디에서 살까요 ?
　 나 : (중국어) 　　　　　　　 　나 : (시장)

③ 가 : 철수 씨는 영희 씨에게 무엇을 줍니까?
　나 : (꽃) 철수 씨는 영희 씨에게 꽃을 줍니다.

1) 가 : 영희 씨는 지영 씨에게 무엇을 줍니까?
　　나 : (영어책)

2) 가 : 아주머니는 존스 씨에게 무엇을 주십니까?
　　나 : (냉면)

3) 가 : 인디라 씨는 선생님께 무엇을 드립니까?
　　나 : (사과)

연습 2

Exercise 2

① 13과를 읽고 대답하세요.

1) 영숙이와 윌슨은 어디에 있습니까?
2) 두 사람은 무엇을 먹습니까?
3) 냉면을 몇 그릇 먹습니까?

②
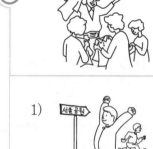
가 : 시장에 갈까요?
나 : 네, 시장에 갑시다.

1)

가 : ＿＿＿＿＿＿＿＿＿＿?
나 : 네, 공원에 갑시다.

2)

가 : ＿＿＿＿＿＿＿＿＿＿?
나 : 네, 바나나를 삽시다.

3)

가 : _____ ?
나 : 네, 집에서 쉽시다.

4)

프랑스어

가 : _____ ?
나 : 네, 프랑스어를 배웁시다.

③

⇨ 철수가 영희에게 꽃을 주었어요.

1)

(아버지) (영희)

⇨ _____ .

2)

(선생님)　(철수)

⇨ _____ .

3)

(영희)　(어머니)

⇨ _____ .

4)

(아버지) (철수)

⇨ _____ .

4 1) 다음을 쓰세요.

〈 우리는 어제 다방에 갔습니다. 〉

아주머니 : 어서 오세요.

여기 _____.

뭘 _____ ?

다나카 : 무엇을 _____ ?

나 : 커피를 _____ ?

다나카 : 네, 좋아요.

윌슨 : 나는 주스를 _____.

나 : 아주머니, 커피 .... 하고

주스 .... 주세요.

2) 친구와 나는 다방에 갔습니다. 무엇을 먹을까요? 이야기하세요.

 5 잘 듣고 맞는 답을 고르세요.

1) ① 다방　　② 식당　　③ 가게

2) ① 커피　　② 냉면　　③ 불고기

3) ① 다방　　② 식당　　③ 가게

6 잘 듣고 쓰세요.

1) 가 : 뭘 드릴까요?
　 나 : 우유 (　　　) 잔하고 커피 (　　　) 잔 주세요

2) 가 : 어서 오세요.
　 나 : 사과 (　　　) 개하고 우유 (　　　) 병 주세요.

3) 가 : 뭘 드릴까요?
　 나 : 냉면 (　　　) 그릇하고 밥 (　　　) 그릇 주세요.

7 잘 듣고 → 하세요.

1)

(친구)　　　　　　　　　　　　　(나)

2)
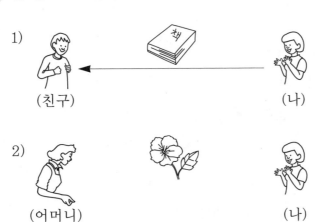
(어머니)　　　　　　　　　　　　(나)

3)
(선생님)　　　　　　　　　　　　(윌슨)

4)
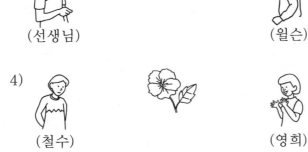
(철수)　　　　　　　　　　　　　(영희)

14과 어서 갑시다

영숙 : 어서 갑시다. 시간이 없어요.

윌슨 : 어떻게 갈까요?

영숙 : 지금은 길이 복잡하니까, 지하철을 탑시다.

윌슨 : 그래요. 지하철이 빠르고 좋아요.

         *   *   *

윌슨 : 우리 어디에서 내려요?

영숙 : 사당역에서 내려야 해요.

Unit 14

Let's Hurry.

Youngsook : Let's hurry. We're running late.
Wilson   : How should we get there?
Youngsook : The traffic is heavy now,
                so let's take the subway.
Wilson   : Okay. The subway's convenient
                because it's fast.
            *   *   *
Wilson   : Where do we get off?
Youngsook : We have to get off at Sadang Station.

어서 quickly
시간 hour, time
어떻게 how
길 road
복잡하다
    to be jammed, to be crowded
−(으)니까 so, because
지하철 subway
타다 to ride
빠르다 to be fast
내리다 to get off, descend
사당역 Sadang station
−아야/어야 하다 must

★ 택시 taxi
기차 train
버스 bus
전철 subway
서울역 Seoul Station
수영하다 to swim
비싸다 to be expensive
사당동 Sadangdong
동대문운동장
    Dongdaemun Stadium
−호선 (subway) line

발음
Pronunciation

① 어떻게 [어떠케]   복잡하니까 [복짜파니까]

문법
Grammar

① N을/를 타다	to ride N

무엇을 탈까요?	How will we get there?
– 택시를 탑시다.	- Let's take a taxi.
기차를 타셨어요?	Did you take a train?
– 아니오, 버스를 탔습니다.	- No, I took a bus.

N에서 N을/를 타다	to ride N prep N

어디에서 버스를 타세요?	Where can I take the bus?
– 학교 앞에서 타요.	- In front of the school.
사당역에서 전철을 탔어요.	I got on the subway at Sadang Station.

② S-(으)니까 S	S because/since S

비가 오니까, 집에 가세요.	It's raining, so go home.
날씨가 더우니까, 주스를 마십시다.	It's hot, so let's have some juice.
그 영화가 재미있으니까, 보세요.	The movie was fun, so I recommend you go see it.
시간이 없으니까, 택시를 탈까요?	Since we're running out of time, shall we take a taxi?

③ N에서 내리다　　　　　　　　　　to get off prep N

어디에서 내립니까?　　　　　　　　Where do you get off?
– 사당역에서 내려요.　　　　　　　- I get off at Sadang Station.
서울역에서 내릴까요?　　　　　　　Shall we get off at Seoul Station?
– 좋아요. 서울역에서 내립시다.　　- Sounds good. Let's get off at Seoul Station.

④ V-아야/어야 하다　　　　　　　　to have to V

오늘은 학교에 가야 합니다.　　　　I have to go to school today.
나는 책을 읽어야 해요.　　　　　　I have to read a book.
우리는 사당역에서 내려야 해요.　　We have to get off at Sadang Station.
무엇을 배워야 합니까?　　　　　　What do you have to learn?
한국어를 공부해야 합니까?　　　　Do you have to study Korean?

어휘와 표현
Vocabulary

① 어서　　　　　　　　　　　　　to hurry (up)

시간이 없으니까 어서 갑시다.　　　We're running late, so let's hurry.
어서 탑시다.　　　　　　　　　　Let's hurry and get in (the car).
어서 읽으세요.　　　　　　　　　Please hurry up and read.

② 시간이 있다[없다]　　　　　　　to have time/not to have time

김 선생님, 오늘 시간이 있으세요?　Mr./Ms. Kim, do you have any time today?
– 오늘은 시간이 없어요.　　　　　- I don't have any (time) today.
시간이 없으니까 택시를 탑시다.　　We're running out of time, so let's take a taxi.

③ 어떻게 갈까요?   How will we get there?

어떻게 갈까요?	How will we get there?
– 지하철을 탑시다.	- Let's take the subway.
어떻게 갈까요?	How will we get there?
– 비가 오니까 택시를 탑시다.	- It's raining, so let's take a taxi.

Notes

1. –(으)니까 means 'because', 'since', or 'so'.
2. –아야/어야 하다 are used with action verbs to express necessity or obligation.

연습 1

① 길이 복잡하다, 지하철을 타다
⇨ 길이 복잡하니까 지하철을 탑시다.

1) 지금 시간이 없다, 내일 만나다   ⇨
2) 날씨가 덥다, 수영하다   ⇨
3) 이 책이 어렵다, 그 책을 읽다   ⇨
4) 토요일에 학교에 안 가다, 극장에 가다 ⇨
5) 친구가 집에 없다, 내일 다시 전화하다 ⇨

② 가 : 무엇을 해야 합니까?
나 : (공부) 공부를 해야 합니다.

1) 가 : 어디에 가야 합니까?
　 나 : (가게)

2) 가 : 오늘 누구를 만나야 합니까?
　 나 : (이 선생님)

3) 가 : 언제 학교에 와야 해요?
　 나 : (월요일)

4) 가 : 어디에서 내려야 해요?
　 나 : (사당역)

5) 가 : 뭘 마셔야 해요?
　 나 : (우유)

연습 2

Exercise 2

① 14과를 읽고 대답하세요.

1) 영숙이와 윌슨은 무엇을 탑니까?
2) 길이 어떻습니까?
3) 지하철이 어떻습니까?
4) 두 사람은 어디에서 내려야 합니까?

②

  : 택시를 탈까요?

  : (길이 복잡해요) 길이 복잡하니까 지하철을 탑시다.

1)

가 : 공부할까요?
나 : (날씨가 더워요)
....

2)

가 : 사과를 살까요?
나 : (사과가 비싸요)
....

3)

가 : 도서관에 갈까요?
나 : (날씨가 좋아요)
....

4)

(불고기)

가 : 비빔밥을 먹을까요?
나 : (매워요)
....

5)

가 : 학교에 갈까요?
나 : (토요일입니다)
....

③ 한국어가 어려워요.
⇨ 주말에 공부해야 해요.

1)

어머니가 오늘 한국에 오세요.
⇨ _____ .

2)

공원에서 운동을 했어요. 더워요.
⇨ _____ .

3)

아이스크림을 샀어요.
집에 냉장고가 없어요.
⇨ _____ .

4)

지하철을 타고 집에 가요.
우리 집은 사당동에 있어요.
⇨ _____ .

5)

지금은 길이 복잡해요.
저는 시간이 없어요.
⇨ _____ .

4 ( )에 쓰고 연습하세요.

: 집이 어디에 있어요?

: 우리 집은 ( )에 있어요.

오늘은 월요일이니까, 서울대학교에 가야 해요.

: 서울대에 어떻게 가세요?

: ( )역에서 지하철 ( )호선을 타야 해요.

그리고 ( )에서 내려야 해요.

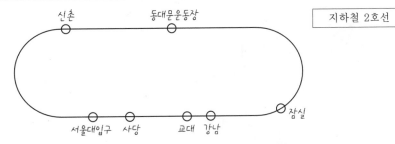

지하철 2호선

신촌 　　동대문운동장

서울대입구 사당 교대 강남 잠실

: 오늘은 어디에 가요?

: ( )에 가요. 같이 갑시다.

: 어떻게 갈까요?

: ( )역에서 지하철을 탑시다.

: 어디에서 내려야 해요?

: ( )역에서 내려야 해요.

 5 잘 듣고 맞는 답을 고르세요.

1) ① 산에 가야 해요.
② 책을 읽어야 해요.
③ 영화를 봐야 해요.

2) ① 한국어를 공부해요.
② 일본어를 배워요.
③ 영어를 가르쳐요.

3) ① 지하철
② 버스
③ 택시

15과 버스를 탑니다

영숙이와 윌슨은 홍 선생님을 만나려고 합니다.
두 사람은 버스 정류장으로 갔습니다.
그들은 버스 카드를 두 장 샀습니다.
51번 버스가 왔습니다.
두 사람은 빨리 탔습니다.
그리고 서울대 입구에서 내렸습니다.

Unit 15

We Take a Bus.

Youngsook and Wilson are going to meet Mr./Ms. Hong.

They went to the bus stop.

They bought two bus cards.

The number 51 bus came.

They quickly got on the bus.

And they got off at the entrance of Seoul National University.

-(으)려고 하다 to intend to
정류장 bus stop
(으)로 to, toward
그들 they
카드 card
장 sheet of paper
사다 to buy
번 number
빨리 quickly
입구 entrance

★ 종로 Chongno
백화점 department store
표 ticket
많이 much
종이 paper
연습 exercise
옷 clothes
남대문 Namdaemun
그러니까 so, therefore
서울대입구역 Seoul National University Station
서울역 Seoul Station

발음
Pronunciation

① 정류장 [정뉴장]   종로 [종노]
② 백화점 [배콰점]
③ 많이 [마니]

문법
Grammar

① V-(으)려고 하다 | intend to V

우리는 박 선생님을 만나려고 합니다.　　We are going to meet Mr./Ms. Park.
무슨 책을 읽으려고 합니까?　　　　　What book are you going to read?
서울대학교에서 한국어를 배우려고　　I am going to learn Korean at Seoul National
합니다.　　　　　　　　　　　　　University.

② N(으)로 가다[오다] | go [come] to N

두 사람은 버스 정류장으로 갑니다.　　The two people are going to the bus stop.
윌슨 씨의 친구는 언제 서울로 옵　　　When is Mr./Ms. Wilson's friend coming to Seoul?
니까?
이 버스는 어디로 가요?　　　　　　Where is this bus going?
– 종로5가로 가요.　　　　　　　　- It's going to Chongno 5-ga.

③ (N에서) N을/를 사다 | buy N prep N

가게에서 사과를 세 개 샀어요.　　　I bought three apples at the store.
백화점에서 시계를 사려고 해요.　　　I'm going to buy a watch at the department store.
어디에서 그것을 샀어요?　　　　　　Where did you buy that?

어휘와 표현

Vocabulary

① 장 — counting words for tickets/paper

버스카드	한			1	bus ticket
지하철표	두			2	subway ticket(s)
극장표	세	장		3	movie ticket(s)
종이	네			4	sheets of paper

극장표를 두 장 사려고 해요. I'm going to buy two movie tickets.

지하철표를 세 장 주세요. Could I have three subway tickets, please?

② 번 — number

25번 버스를 타야 해요. I have to take the number 25 bus.

289번 버스는 서울대로 갑니까? Does the number 289 bus go to Seoul National University?

연습 7번을 읽으세요. Read exercise 7.

연습 8번의 2번을 하세요. Do exercise 8-2.

* 40 : 사십	forty		60 : 육십	sixty
41 : 사십일	forty one		70 : 칠십	seventy
42 : 사십이	forty two		80 : 팔십	eighty
50 : 오십	fifty		90 : 구십	ninety

③ 빨리 — hurry/hurriedly/quickly

시간이 없으니까 빨리 갑시다. We don't have much time, so let's hurry.

영숙이는 밥을 빨리 먹었어요. Youngsook ate quickly.

빨리 읽으세요. Please hurry up and read.

집에 빨리 가겠어요. I'm going to hurry home.

④ 그들   they

그들은 외국 학생입니다.   They are foreign students.
나는 그들을 만나려고 해요.   I'm going to meet them.
극장표 두 장을 그들에게 주었어요.   I gave them two movie tickets.

* 우리들은 외국 학생입니다.   * We are foreign students.

Notes

1. –(으)려고 하다 is a sentence ending marker that means 'plan to do' or 'intend to do'.
2. (으)로 comes after a place noun to mean 'in the direction of' or 'towards'.

연습 1

Exercise 1

①

(학교, 공부하다) ⇨ 학교에서 공부하려고 해요.

1) (다방, 친구를 만나다)　　⇨
2) (도서관, 책을 읽다)　　⇨
3) (서울극장, 영화를 보다)　⇨
4) (대학교, 영어를 가르치다) ⇨
5) (시장, 맥주 세 병을 사다) ⇨

②

가 : 무엇을 타려고 하세요?
나 : (기차) 기차를 타려고 해요.

1) 가 : 어디에 가려고 하세요?
　　나 : (백화점)

2) 가 : 누구를 만나려고 하세요?
　　나 : (아저씨)

3) 가 : 무슨 책을 읽으려고 하세요?
　　나 : (한국어책)

4) 가 : 어디에서 내리려고 하세요?
　　나 : (사당역)

연습 2

Exercise 2

① 15과를 읽고 대답하세요.

1) 영숙이와 윌슨은 누구를 만나려고 합니까?
2) 두 사람은 어디에서 버스를 탔습니까?
3) 몇 번 버스를 탔습니까?
4) 어디에서 내렸습니까?

②
1) 버스카드를 •   • 많이 먹었습니다.
2) 한국 친구 •   • 하나 있습니다.
3) 내 방에 텔레비전이 • • 사과를 세 개 샀어요.
4) 식당에서 밥을 •   • 커피 한 잔을 마십니다.
5) 가게에서 •   • 세 장 샀어요.
6) 다방에서 •   • 두 명이 교실에서 공부합니다.

③ 1)

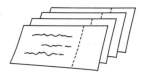

가 : 저 버스는 어디로 가요?
나 : ....

2)

가 : 표를 몇 장 사려고 해요?
나 : ....

3)

가 : 그 옷을 어디에서 샀어요?
나 : ....

4)

가 : 주말에 어디에 가려고 해요?
나 : ....

④ 다음을 보고 친구와 이야기해 보세요.

어디에 가려고 해요?	남대문	서울대	부산	집
무엇을 타려고 해요?	1005번 버스	지하철 2호선+413번 버스	기차	?
얼마입니까?	1,100원	1,000원	25,000원	?

⑤ 다음을 읽고 .... 에 쓰세요.

가 : 우리 같이 극장에 갈까요?

나 : 좋아요. 오늘은 시간이 있으니까 같이 갑시다.
　　무슨 영화를 볼까요?

가 : 요즘 서울극장에서 '편지'를 해요.

나 : 서울극장은 어디에 있어요?

가 : 종로에 있어요. 그러니까 서울대입구역에서 지하철을 타고
　　종로3가역에서 내려야 해요.

나 : 저기 버스가 와요. 빨리 타고 서울대입구역으로 갑시다.

1) 그들은 오늘 같이 .... 를 보려고 합니다.
2) .... 은 종로에 있습니다.
3) 학교에서 .... 를 타고 서울대입구역으로 갑니다.
4) 그리고 서울대입구역에서 ....

⑥ 잘 듣고 연결하세요.

1) 서울대학교 •　　• 지하철 2호선 •　　• 서울역 앞
2) 한국극장 •　　• 지하철 1호선 •　　• 사당역
3) 윌슨 씨 집 •　　• 405번 버스 •　　• 서울대입구역
4) 서울백화점 •　　• 지하철 4호선 •　　• 종로1가
　　　　　　　• 57번 버스 •　　• 종로5가

⑦ 잘 듣고 맞으면 O, 틀리면 X 하세요.

1) (　　)　　2) (　　)　　3) (　　)

16과 내일 저녁에 바쁘세요?

철수　　: 내일 저녁에 바쁘세요?

다나카 : 아니오, 바쁘지 않아요.

철수　　: 우리 집에 오셔서 저녁 식사를 함께 할까요?

다나카 : 네, 좋습니다. 몇 시에 갈까요?

철수　　: 저녁 일곱 시쯤에 오세요.

다나카 : 그러지요. 고맙습니다.

Unit 16

Are You Busy Tomorrow Evening?

Chulsoo : Are you busy tomorrow evening?
Tanaka : No, I'm not.
Chulsoo : Will you come to my place and have
dinner together?
Tanaka : Yes, I'd love to.
What time shall I come?
Chulsoo : Come around 7:00 p.m.
Tanaka : I'll be there. Thanks.

저녁
　　evening, dinner
바쁘다 to be busy
-아서/어서 and
식사하다 to dine
함께 together
시 o'clock
일곱 seven
-쯤 about
그러지요 I will (do that).
고맙다 to be grateful

★ 분 minute
반 half
아침 morning, breakfast
점심 lunch
밤 night
여섯 six
여덟 eight
아홉 nine
열 ten
열한 eleven
열두 twelve

일어나다 to get up
자다 to sleep

발음
Pronunciation

① 몇 시 [며씨]
② 여덟 시 [여덜씨]

문법
Grammar

① 바쁘다   to be busy

저는 요즘 바쁩니다.	I am busy these days.
내일 저녁에 바쁘세요?	Are you busy tomorrow evening?
– 네, 바빠요.	- Yes, I am.
오늘은 바쁘지 않아요.	I'm not busy today.
오늘은 바쁘니까 내일 만납시다.	I'm busy today, so let's meet tomorrow.

바쁘다	바쁩니다	바쁩니까?	바쁘고	바쁘니까
바빠요	바빴습니다			

나쁘다   to be bad

오늘은 날씨가 나쁩니다.	The weather today is bad.
여기는 날씨가 나빠요.	The weather here is bad.
오늘은 날씨가 나쁘니까 내일 만납시다.	The weather today is bad, so let's meet tomorrow.

나쁘다	나쁩니다	나쁩니까?	나쁘고	나쁘니까
나빠요	나빴습니다			

② S-아서/어서 S   S and S

철수는 학교에 가서 윌슨을 만났습니다.   Chulsoo went to school and met Wilson.

영희는 집에 와서 영어를 공부해요.   Younghee has come home and is studying English.

시장에 가서 운동화를 샀어요.   I went to the market and bought some sneakers.

③ 시   분

한		오	
두		십	
세		십오	
네		이십	
다섯		이십오	
여섯	시	삼십	분
일곱		삼십오	
여덟		사십	
아홉		사십오	
열		오십	
열한		오십오	
열두			

지금 몇 시입니까?   What time is it now?

일곱 시입니다.   It's 7:00.

세 시 삼십 분입니다.   It's 3:30.

세 시 반입니다.   It's half past 3.

밤 열두 시입니다.   It's midnight.

−시 (−분)에   at hour (minute)

아침 일곱 시 삼십 분에 일어납니다.   I get up at 7:30 a.m.

저녁 여섯 시 반에 밥을 먹습니다.   I eat dinner at 6:30 p.m.

몇 시에 잡니까?   What time do you go to bed?

− 열 시쯤에 자요.   - I go to bed around 10:00.

어휘와 표현
Vocabulary

---

① 함께[같이]   together

우리는 함께 공부했습니다.	We studied together.
같이 영화를 볼까요?	Shall we watch a movie together?
우리 집에서 함께 식사합시다.	Let's eat together at my place.

---

② N N   N N

내일 저녁	tomorrow evening
내일 저녁에 만납시다.	Let's meet tomorrow evening.
아침 식사	breakfast
아침 식사를 했어요.	I ate breakfast.
학교 식당	school cafeteria
학교 식당에서 밥을 먹어요.	I eat at the school cafeteria.

---

③ 아침[점심, 저녁]   breakfast [lunch, dinner]

아침에 학교에 갑니다.	I go to school in the morning.
아침을 먹지 않았어요.	I didn't have breakfast.
점심 시간에 친구를 만났어요.	I met a friend at lunch time.
점심을 먹고 갈까요?	Shall we go after lunch?
저녁에 우리 집에 오세요.	Come to my place this evening.
저녁을 먹고 영화를 봅시다.	Let's watch a movie after dinner.

---

④ N-쯤(에)   around/about

일곱 시쯤에 일어납니다.	I get up around 7:00.
열한 시쯤에 잡니다.	I go to bed around 11:00.
학생이 일곱 사람쯤 있어요.	There are about 7 students present.
사과를 몇 개쯤 살까요?	How many apples would you like?

⑤ 그러지요 — I will (do that)

커피를 마시겠어요?	Would you like some coffee?
– 그러지요.	- Sure.
지하철을 타세요.	Take the subway.
– 그러지요.	- I will.
일곱 시에 만납시다.	Let's meet at 7:00.
– 그러지요.	- Okay.

⑥ 고맙다 — thanks

고맙습니다.	Thank you (politest/most formal).
고마워요.	Thank you (polite).
고마웠습니다.	Thank you (for what you did).
고마웠어요.	Thank you (for what you did).

Notes

1. When the particle −아/어 is added to a verb stem ending with the vowel '_', the vowel is dropped and the appropriate form of the particle is added.
   −아 is added when the verb stem has either 'ㅏ' or 'ㅗ', as can be seen in examples like 바쁘다 ⇨ 바빠 and 나쁘다 ⇨ 나빠.
2. −아서/어서 are conjunctive verb endings used to connect two sentences. In terms of time sequence, the first sentence occurs before the second. They are close in meaning to 'and then'.
3. −시 comes after the hour, and −분 comes after the minute.
4. 아침 could mean 'morning' or 'breakfast' depending on the context. Similarly, 저녁 could mean either 'evening' or 'dinner'.
5. 고마웠어요 is the past tense form of 고마워요, meaning 'thank you'.

연습 1

① 바쁘다,   나쁘다

1) 오늘 저녁에 (바빠)요? 함께 저녁을 먹읍시다.
2) 오늘은 (   )니까 내일 만납시다.
3) 어제는 (   )지만 오늘은 (   )지 않아요.
4) 오늘은 날씨가 (   )지만 학교에 가야 해요.
5) 어제는 비가 오고 날씨가 (   )지만 오늘은 (   )지 않아요.

②   ⇨ 일 곱 시 십 분

1) ⇨ ....

2) ⇨ ....

3)  ⇨ ....

4)  ⇨ ....

5)  ⇨ ....

6)  ⇨ ....

③ 가 : 어제 뭘 했어요?

나 : (시내에 가다, 친구를 만나다) 시내에 가서 친구를 만났어요.

1) 가 : 오후 세 시쯤에 뭘 했어요?
   나 : (극장에 가다, 영화를 보다)
2) 가 : 어제 뭘 했어요?
   나 : (꽃을 사다, 친구에게 주다)
3) 가 : 내일 뭘 하려고 해요?
   나 : (도서관에 가다, 친구를 만나다)
4) 가 : 식당에서 식사를 했어요?
   나 : (집에 가다, 식사를 하다)

연습 2
Exercise 2

① 16과를 읽고 O, X 하세요.

1) 다나카 씨는 내일 시간이 없습니다. (X)
2) 다나카 씨는 내일 저녁 7시쯤에 철수 씨 집에 갑니다. (   )
3) 다나카 씨는 철수 씨 집에 가지만 저녁을 먹지 않습니다. (   )
4) 철수 씨는 다나카 씨와 함께 내일 저녁 식사를 합니다. (   )

② 1) 오늘은 영화를 볼까요? •   • 7시쯤에 오세요.
   2) 오늘 점심은 내가 사겠어요. •   • 그러지요.
   3) 여기는 서울대학교입니까? •   • 고맙습니다. 뭘 먹을까요?
   4) 몇 시에 갈까요? •   • 네, 그래요.
   5) 주말에는 집에서 쉬세요. •   • 오늘은 바쁘니까 내일 봅시다.

③ 다음을 쓰세요.

①

가 : 어제 뭘 했어요?
나 : 친구를 **만나고** 학교에 갔어요.

②

가 : 어제 뭘 했어요?
나 : 친구를 **만나서** 학교에 갔어요.

1)

가 : 어제 뭘 했어요?
나 : ....

2)

가 : 어제 저녁에 뭘 했어요?
나 : ....

3)

가 : 주말에 뭘 했어요?
나 : ....

4)

가 : 일요일 저녁에 뭘 했어요?
나 : ....

④ 이야기하세요.

		가 : 아침 몇 시에 일어납니까? 나 : ....
		가 : 아침 몇 시에 밥을 먹습니까? 나 : ....
		가 : 몇 시에 집에 갑니까? 나 : ....
		가 : .... ? 나 : ....
	?	가 : .... ? 나 : ....

⑤ 잘 듣고 맞으면 O, 틀리면 X 하세요.

1) (   )
2) (   )
3) (   )

17과 가족이 몇 명이세요?

장　　: 가족이 몇 명이세요?

철수 : 우리 가족은 모두 넷이에요.

　　　아버지와 어머니가 계시고, 형이 하나 있습니다.

장　　: 형님이 무엇을 하세요?

철수 : 형은 회사에 다녀요.

장　　: 철수 씨는 대학생이지요? 어느 대학에 다니세요?

철수 : 서울대학교에 다녀요.

Unit 17

How Many People Are There in Your Family?

Jean　　　: How many people are there in your family?
Chulsoo : There are four of us all together.
　　　　　There's my father and mother, and I have
　　　　　one older brother.
Jean　　　: What does your brother do?
Chulsoo : He works for a company.
Jean　　　: You're a college student, aren't you?
　　　　　Which college do you go to?
Chulsoo : I go to Seoul National University.

가족 family	−지요?	회사원
명 people	aren't you?/isn't it?	company employee
넷 four	어느 which	부모 parents
아버지 father		아버님 father
어머니 mother	★ 둘 two	어머님 mother
형 older brother	셋 three	누나 older sister
하나 one	분 person	은행 bank
−님 honorific suffix	동생	
회사 company	younger brother or	
다니다 to attend	sister (siblings)	
대학생 college student	사진 photograph	

발음
Pronunciation

① 몇 명 [면명]
② 넷이에요 [네시에요]
③ 회사 [훼사]

문법
Grammar

① N-이에요/예요?

Are you? (Is he/she?)

가족이 몇 명이에요?	How many people are there in your family?
– 모두 넷이에요.	- There are four all together.
지금 열한 시예요?	Is it 11:00 now?
– 아니오, 열 시 반이에요.	- No, it's 10:30.
저분이 누구세요?	Who is that?
– 제 친구예요.	- He is a friend of mine.

N이/가 아니에요

It is not N

여기는 2층이 아니에요, 3층이에요.	This is the third floor, not the second (floor).
지금 9시예요?	Is it 9 o'clock?
– 아니오, 9시가 아니에요.	- No, it's not (9 o'clock).
10시예요.	It's 10 o'clock.

N-(이)세요?

Are you? (Is he/she?)

가족이 몇 명이세요?	How many people are there in your family?
– 셋이에요.	- There are three.
김 선생님은 형님이 몇 분이세요?	Mr./Mrs. Kim, how many older brothers do you have?
– 셋이에요.	- I have three.
저분이 어머니세요?	Is that person your mother?
– 네, 우리 어머니세요.	- Yes, she is (my mother).

② N이/가 –(명)이다

there be number N

학생이 몇 명입니까?

How many students are there?

– 열 명이에요.

- There are ten.

친구가 몇이에요?

How many friends do you have?

– 셋이에요.

- I have three.

동생이 몇 명이에요?

How many younger brothers and sisters do you have?

– 둘이에요.

- I have two.

③ N이/가 있다[없다]

to have N

형이 하나 있어요.

I have one older brother.

저는 차가 없어요.

I don't have a car.

여기 가족 사진이 있어요.

Here's a photo of my family.

④ N–(이)지요?

aren't you? (isn't it?)

철수는 학생이지요?

Chulsoo, you're a student, aren't you?

– 네, 학생이에요.

- Yes, I am.

지금 9시지요?

It's 9:00 now, isn't it?

– 네, 9시예요.

- Yes, it is (9:00).

형이 회사원이지요?

Your brother works for a company, doesn't he?

– 아니오, 대학생이에요.

- No, he's a college student.

어휘와 표현

Vocabulary

① 우리 N | our (my) N

여기가 우리 집이에요.　　　　　　　　Here is my house.

우리 가족은 모두 넷입니다.　　　　　There are four people all together in my family.

우리 어머니는 집에 계십니다.　　　　My mother is at home.

②

1	일	하나	한 –	one
2	이	둘	두 –	two
3	삼	셋	세 –	three
4	사	넷	네 –	four
5	오	다섯	다섯 –	five
6	육	여섯	여섯 –	six
7	칠	일곱	일곱 –	seven
8	팔	여덟	여덟 –	eight
9	구	아홉	아홉 –	nine
10	십	열	열 –	ten

③ N-님 | N + [honorific ending]

선생	선생님	teacher
부모	부모님	parents
아버지	아버님	father
어머니	어머님	mother
형	형님	older brother

④ 분 | person

저분이 박 선생님이십니까?　　　　　Is that person Mr./Ms. Park?

교실에 선생님이 두 분 계십니다.　　There are two teachers in the classroom.

아주머니 세 분이 모두 오셨어요.　　All three of the women came.

⑤ N에 다니다　　　　　　　　　　　　　to attend (to go to) N

저는 학교에 다닙니다.　　　　　　　　I go to school.

우리 형은 회사에 다녀요.　　　　　　My older brother works for a company.

Notes

1. 명/분 are used after a numeral to count the number of people. For example, 네 명 or 네 분 means 'four people'. 분 is the honorific form, whereas 명 is the ordinary form.
2. −(이)에요/세요 are verb endings expressing identification. They are attached to nouns. −(이)세요 is politer than −(이)에요.
3. −(이)지요 is also a verb ending expressing identification. It is used in polite informal style speech.
4. Koreans prefer to say '우리 가족' to mean 'my family'. 우리 literally means 'we' or 'our'. Similarly, Koreans often say '우리 나라' and '우리 집' to mean 'my country' and 'my house' respectively.
5. −님 adds respect to the title.

①

가 : (한국 친구) 한국 친구가 몇 명
     이에요?
나 : (2) 두 명이에요.

1) 가 : (학생)　　　　　　　2) 가 : (선생님)
   나 : (5)　　　　　　　　　나 : (4)

3) 가 : (동생)　　　　　　　4) 가 : (형)
   나 : (1)　　　　　　　　　나 : (2)

②

가 : (윌슨, 대학생) 윌슨 씨는 대학생이지요?
나 : (네) 네, 대학생이에요.

가 : (영숙, 선생님) 영숙 씨는 선생님이지요?
나 : (아니오) 아니오, 선생님이 아니에요.

1) 가 : (오늘, 목요일)
   나 : (아니오)

2) 가 : (지금, 11시)
   나 : (네)

3) 가 : (여기, 2층)
   나 : (아니오)

4) 가 : (가족, 4)
   나 : (네)

5) 가 : (저기, 회사)
   나 : (네)

6) 가 : (누나, 대학생)
   나 : (아니오)

연습 2

① 17과를 읽고 대답하세요.

1) 철수 씨의 가족은 모두 몇 명입니까?
2) 형은 무엇을 하십니까?
3) 철수 씨도 회사에 다닙니까?

② 명(사람), 분, 그릇, 개, 잔, 병, 원

1) 우리 가족은 모두 다섯 .... 입니다.
2) 어제 식당에서 냉면 한 .... 을 먹었습니다.
3) 1급에 선생님이 네 .... 계십니다.
4) 사과가 싸니까 열 .... 쯤 살까요?
5) 커피는 한 .... 에 1,500 .... 입니다.
6) 냉장고에 맥주가 세 .... 있습니다.

③ 그림을 보고 대답하세요.

1)

가 : 아버지는 무엇을 하세요?
나 : ....

2)

가 : 가족이 모두 몇 명이에요?
나 : ....

3)

가 : 오늘은 월요일이지요?
나 : ....

4)

가 : 여기가 서울대학교지요?

나 : ....

5)

가 : 오늘 시간이 있으세요?

나 : ....

④ 다음 글을 읽으세요. 그리고 .... 에 쓰고 이야기하세요.

우리 가족은 모두 여섯입니다. 아버지와 어머니가 계시고 누나와 형 그리고 동생이 하나 있습니다. 아버지는 회사에 다니시고 어머니는 집에 계십니다. 형은 은행에 다니고 누나는 백화점에서 일합니다. 그리고 동생은 서울대학교 학생입니다. 우리는 모두 바쁘지만 주말에는 같이 운동을 하고 집 앞 식당에서 식사를 합니다. 저녁에는 집에서 텔레비전을 보고 쉽니다.

: 가족이 모두 몇 명이세요?

: 우리 가족은 ....

: 형이 있어요?

: 네, ... 에서 일해요.

: 누나도 있어요?

: .... 에 다녀요.

: 동생도 일해요?

: ....

: 가족이 모두 바쁘지요?

: 네, ... 지만 .... 에는 같이 ....

그리고 ....

⑤ 잘 듣고 맞는 그림을 고르세요.

1) ①

②
나

③
나

2) ①
나
②
나
③
나

3) ①
나
②
나
③
나

18과 야구를 좋아하세요?

철수 : 영희 씨, 야구를 좋아하세요?

영희 : 네, 참 좋아해요.

철수 : 그럼 오늘 야구 구경 갈까요?

영희 : 미안하지만 못 가요.

철수 : 왜 못 가요?

영희 : 시험이 있어서 바빠요.

철수 : 그러면 다음 주말에 같이 갑시다.

Unit 18

Do You Like Baseball?

Chulsoo : Younghee, do you like baseball?
Younghee : Yes, I like it a lot.
Chulsoo : Then, why don't we go to see a game today?
Younghee : I'm sorry, but I can't.
Chulsoo : Why not?
Younghee : I have a test, so I'm busy.
Chulsoo : Then, let's go next weekend.

야구 baseball
좋아하다 to like
참 very
그럼 then
구경 watching
미안하지만 to be sorry, but
못 can not
왜 why
시험 examination
–아서/어서 because
다음 next

★ 시험보다 to take an exam
한국말 Korean language
김치 kimchi
어젯밤 last night
싫어하다 to dislike
과일 fruit
수영장 swimming pool
돈 money
야구장 baseball field
음식 food

자주 often
그렇지만 but

발음
Pronunciation

1. 한국말 [한궁말]
2. 싫어해서 [시러해서]
3. 그렇지만 [그러치만]

문법
Grammar

1 N을/를 좋아하다 | to like N

저는 야구를 좋아합니다.	I like baseball.
무엇을 좋아하세요?	What do you like?
불고기를 좋아해요.	I like pulgogi.

* N이/가 좋다 | to like/to enjoy N

저는 야구가 좋아요.	I like (enjoy) baseball.
무엇이 좋으세요?	What do you like (enjoy)?
불고기가 좋습니다.	I like pulgogi.

2 못 V | can not V

저는 야구를 못합니다.	I can't play baseball.
친구를 못 만났어요.	I couldn't meet my friend.
오늘은 학교에 못 갔어요.	I couldn't go to school today.

* 저는 야구를 안 해요.	* I don't play baseball.
친구를 안 만났어요.	I didn't meet my friend.
오늘 학교에 안 갔어요.	I didn't go to school today.

③ 왜	Why

어제 왜 안 왔어요?

– 바빠서 못 왔어요.

영희 씨, 왜 우리 집에 못 와요?

– 시간이 없어서 못 가요.

왜 지하철을 타세요?

– 버스가 복잡해서 지하철을 타요.

Why didn't you come yesterday?

- I couldn't come because I was busy.

Younghee, why can't you come to my place?

- I can't go because I don't have the time.

Why are you taking the subway?

- I'm taking the subway because the bus is crowded.

④ S–아서/어서 S	S so S

냉면을 좋아해서 두 그릇을
먹었습니다.

날씨가 추워서 집에 있었어요.

시험이 있어서 바빠요.

버스가 복잡해서 지하철을 탔어요.

I like naengmyun, so I had two servings.

The weather was cold, so I stayed home.

I have a test, so I'm busy (preparing for it).

The bus was crowded, so I took the subway.

Vocabulary

어휘와 표현

① N을/를 구경하다	to see
N 구경을 하다	to watch
(N) 구경을 가다	to go to watch N

철수는 어제 야구를 구경했어요.

철수는 어제 야구 구경을 했어요.

철수는 어제 영화 구경을 갔어요.

Yesterday, Chulsoo saw a baseball game.

Yesterday, Chulsoo saw a baseball game.

Yesterday, Chulsoo went to see a movie.

② 미안하지만 | I'm sorry/excuse me, but

미안하지만 종이 좀 주세요. | Excuse me, could I have some paper please?

미안하지만 바빠서 못 가요. | I'm sorry, but I'm too busy to go.

미안하지만 빨리 내리세요. | Excuse me, but please get off quickly.

③ 시험이 있다[시험을 보다] | to have/to take a test

언제 시험이 있습니까? | When do you have the test?

– 다음 주말에 시험이 있어요. | - I have the test next weekend.

언제 시험을 봐요? | When will you take the test?

– 다음 월요일에 시험을 봐요. | - I will take the test next Monday.

시험을 보니까 공부하세요. | Study for your test.

시험이 있어서 같이 못 가요. | I have a test (to study for), so I can't go with you.

④ 다음 N | next N

다음 주말에 같이 여행을 갈까요? | Shall we go on a trip together next weekend?

다음 역이 서울대입구역입니다. | The next station is Seoul National University.

다음 버스를 탑시다. | Let's take the next bus.

Notes

1. Both 못 and 안 are followed by an action verb. 못 means 'cannot', while 안 means 'don't'.
2. –아서/어서 mean 'because/since'. They are used to connect two sentences.

연습 1

① 가 : 학교에 가요?
　 나 : (아니오) 아니오, 학교에 못 가요.

1) 가 : 한국말을 하세요?
　 나 : (아니오)
2) 가 : 김치를 먹어요?
　 나 : (아니오)
3) 가 : 어제 김 선생님을 만났어요?
　 나 : (아니오)
4) 가 : 어젯밤에 쉬었어요?
　 나 : (아니오)
5) 가 : 그 책을 읽었어요?
　 나 : (아니오)

② 가 : 왜 지하철을 타요?
　 나 : 버스가 복잡해서 지하철을 타요.

1) 가 : ＿＿＿＿＿＿＿＿＿＿＿＿＿＿＿＿?
　 나 : 비가 와서 야구를 못해요.

2) 가 : ＿＿＿＿＿＿＿＿＿＿＿＿＿＿＿＿?
　 나 : 영어를 가르쳐서 시간이 없어요.

3) 가 : ＿＿＿＿＿＿＿＿＿＿＿＿＿＿＿＿?
　 나 : 바빠서 점심을 못 먹었어요.

4) 가 : ＿＿＿＿＿＿＿＿＿＿＿＿＿＿＿＿?
　 나 : 그 책이 재미없어서 안 읽었어요.

5) 가 : ＿＿＿＿＿＿＿＿＿＿＿＿＿＿＿＿?
　 나 : 김치를 싫어해서 안 먹어요.

③ 좋다 / 좋아하다

　나는 꽃을 (좋아해요).
　나는 꽃이 (좋아요).

1) 가 : 무슨 과일을 (　　　　　　)?
　　나 : 저는 바나나를 (　　　　　　).
2) 장미가 (　　　　　　)서 장미꽃을 샀어요.
3) 냉면을 (　　　　　　)서 두 그릇을 먹었어요.
4) 한국이 (　　　　　　)서 한국어를 배워요.

연습 2
Exercise 2

① 18과를 읽고 대답하세요.

1) 영희는 야구를 좋아합니까?
2) 영희는 왜 바쁩니까?
3) 철수와 영희는 오늘 야구 구경을 갑니까?
4) 그러면 영희와 철수는 언제 야구 구경을 가려고 합니까?

②

　가 : 오늘 수영장에 가요?
　나 : 아니오, 비가 와서 못 가요.

1)
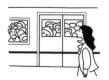

　가 : 지하철을 타요?
　나 : 아니오, ...

2)

　가 : 꽃을 샀어요?
　나 : 아니오, ...

3)

가 : 주말에 쉬었어요?

나 : 아니오, ...

4)

가 : 왜 친구 집에 못 갔어요?

나 : ....

5)

가 : 왜 수영을 못했어요?

나 : ....

③ ① 영화가 재미있었어요. 두 번 봤어요.
　　⇨ 영화가 재미있어서 두 번 봤어요.

② 날씨가 춥습니다. 집에서 쉽시다.
　　⇨ 날씨가 추우니까 집에서 쉽시다.

1) 오늘 오후에는 바쁘지 않아요. 오후에 우리 집에 오세요.
　　⇨ ....

2) 저는 지금 돈이 없어요. 그 옷을 못 사요.
　　⇨ ....

3) 이 책이 어려워요. 같이 공부합시다.
　　⇨ ....

4) 숙제가 많이 있어요. 야구장에 같이 못 가요.
　　⇨ ....

5) 날씨가 더워요. 주스를 마실까요?
　　⇨ ....

④ 친구와 이야기해 보세요.

이름		
1) 무슨 운동을 좋아하세요?		
2) 무슨 과일을 좋아해요?		
3) 무슨 음식을 좋아해요?		
4) 무슨 요일을 좋아해요? 왜 좋아해요?		
5) 누구를 좋아해요? 왜 좋아해요?		

⑤ 다음을 읽고 쓰세요.

윌슨은 서울대학교에서 한국어를 공부하고 회사에서 영어를 가르칩니다. 윌슨은 운동을 좋아하지만 바빠서 자주 못합니다. 그렇지만 다음 주말에는 공원에 가서 야구를 하고, 극장에 가서 영화도 보려고 합니다.

1) 윌슨은 회사에 다닙니까?
2) 윌슨은 운동을 좋아합니까?
3) 윌슨은 왜 운동을 못합니까?
4) 윌슨은 다음 주말에 무엇을 하려고 합니까?

⑥ 잘 듣고 맞으면 O, 틀리면 X 하세요.

1) (   )
2) (   )
3) (   )

19과 어제는 내 생일이었습니다

어제는 내 생일이었습니다.
그래서 저녁에 친구들이 집에 왔습니다.
영희도 오고 윌슨도 왔습니다.
우리는 음악을 들으면서 함께 저녁을 먹었습니다.
술도 마시고 노래도 했습니다.

Unit 19

It Was My Birthday Yesterday.

It was my birthday yesterday.
So, my friends came to my house in the evening.
Both Younghee and Wilson came.
We ate dinner together while listening to music.
We drank and sang.

생일 birthday
그래서 and so, therefore
-들 plural suffix
듣다 to listen
-(으)면서 while
술 liquor
노래하다 to sing

★ 뉴스 news
초대하다 to invite
지난 last
순서 order
만들다 to make
이야기하다 to talk
축하하다 to congratulate
사랑하다 to love

발음
Pronunciation

① 들으면서 [드르면서]
② 축하합니다 [추카합니다]

문법
Grammar

① 듣다 — to listen

한국 노래를 듣겠어요.	I'm going to listen to a Korean song.
뉴스 좀 들읍시다.	Let's listen to the news.
저는 음악을 듣고 형은 공부를 해요.	I'm listening to music and my elder brother is studying.
한국 노래를 들을까요?	Shall we listen to a Korean song?
아침에 뉴스를 들었어요?	Did you hear the news this morning?

듣습니다	듣겠어요	듣고	듣지만		
들어요	들읍시다	들으세요	들으니까	들어서	들으면서

② S-(으)면서 S — S while S

음악을 들으면서 저녁을 먹습니다.	I eat dinner while listening to music.
저녁을 먹으면서 텔레비전을 봤어요.	I watched TV while (I was) eating dinner.
한국말을 배우면서 영어를 가르쳐요.	I teach English and learn Korean at the same time.
학교에 가면서 노래를 해요.	I sing while I go to school.

③ N도 V-고 N도 V — Both V N and V N

그들은 술도 마시고 노래도 합니다.	They (both) drank and sang.
윌슨은 한국어도 배우고 중국어도 배웁니다.	Wilson is learning both Korean and Chinese.
나는 수영도 좋아하고 야구도 좋아해요.	I like both swimming and baseball.

어휘와 표현

Vocabulary

① 그래서 — therefore, so

지하철이 좋아요. 그래서 지하철을 타요.	The subway is convenient. So, I take the subway.
(지하철이 좋아서 지하철을 타요.)	(The subway is convenient, so I take the subway.)
어제는 비가 왔어요. 그래서 야구장에 못 갔어요.	It rained yesterday. So, I could not go to the baseball field.
(어제는 비가 와서 야구장에 못 갔어요.)	(It rained yesterday, so I could not go to the baseball field.)
냉면을 좋아해요. 그래서 두 그릇을 먹었어요.	I like naengmyun. So, I ate two servings.
(냉면을 좋아해서 두 그릇을 먹었어요.)	(I like naengmyun, so I ate two servings.)

② N-들 — N + plural suffix

친구들이 모두 왔어요.	All of my friends came.
제 생일에 친구들을 초대하겠어요.	On my birthday, I will invite my friends.
사람들이 차에서 내려요.	The people are getting out of the car.

Notes

1. ‑들 is a plural suffix which is usually added to a noun.
2. Some verbs with stems ending in ‘ㄷ’ have irregular conjugations. In this case, the final ‘ㄷ’ changes to ‘ㄹ’ when it is followed by a vowel (듣다 ⇒ 들어요).
3. ‑겠어요, ‑ㅂ시다, and ‑(으)세요 are sentence endings conveying roughly the following meanings: ‑겠어요 (will V), ㅂ시다 (let's V), and ‑(으)세요 (please V).
4. ‑(으)면서 indicates that the two actions in the connected sentences occur simultaneously.
5. As mentioned in Unit 7, ‑고, meaning 'and', is a coordinator used to connect two sentences.

연습 1

① 밥을 먹어요. 텔레비전을 봐요.
　⇨ 밥을 먹으면서 텔레비전을 봐요.

1) 제 동생은 지금 노래를 듣습니다. 공부를 합니다.
　　⇨
2) 커피를 마셨어요. 음악을 들었어요.
　　⇨
3) 지난 주말에는 책을 읽었어요. 집에서 쉬었어요.
　　⇨
4) 다나카 씨는 회사에 다닙니다. 한국말을 배웁니다.
　　⇨

② 가 : (저녁, 먹다) 　　　　저녁에 뭘 먹었어요?
　 나 : (냉면 먹다, 불고기 먹다) 냉면도 먹고 불고기도 먹었어요.

1) 가 : (주말, 하다)
　 나 : (운동하다, 영화 보다)
2) 가 : (토요일 밤, 하다)
　 나 : (술 마시다, 노래하다)
3) 가 : (일요일 아침, 하다)
　 나 : (책 읽다, 음악 듣다)
4) 가 : (아침, 먹다)
　 나 : (　　　　, 　　　　)

③ 그러면, 그래서

1) 가 : 지하철이 빠릅니다.
　 나 : (　　　　　　　) 지하철을 탑시다.

2) 어제 커피를 다섯 잔 마셨어요. (　　　　　　) 밤에 못 잤어요.

3) 가 : 지금 집에 안 계십니다.
　　나 : (　　　　　　　　) 언제 전화할까요?

4) 가 : 저는 오늘 시간이 없어요.
　　나 : (　　　　　　　　) 내일 만납시다.

5) 그 영화가 아주 좋았어요. (　　　　　　　　) 다시 보았어요.

연습 2
Exercise 2

① 19과를 읽고 대답하세요.

1) 어제는 누구의 생일이었습니까?
2) 언제 친구들이 집에 왔습니까?
3) 그들은 무엇을 했습니까?

②

⇨ 철수는 음악을 들으면서 학교에 가요.

1)

⇨ ....

2)

⇨ ....

3)　 ⇨ ....

4)　 ⇨ ....

5)　 ⇨ ....

③ 가 : 일요일에 무엇을 해요?
　　나 : <u>공부도 하고 텔레비전도 봐요</u>.

1) 가 : 아침에 무엇을 해요?
　　나 : ....

2) 가 : 생일에 무엇을 해요?
　　나 : ....

3) 가 : 어제 저녁에 누구를 만났어요?
　　나 : ....

4) 가 : 백화점에서 무엇을 샀어요?
　　나 : ....

5) 가 : 주말에 어디에 가요?
　　나 : ....

4 비가 왔어요. 그래서 <u>야구를 못했어요</u>.

1) 한국이 좋아요. 그래서 ....

2) 돈이 없어요. 그래서 ....

3) 어제는 날씨가 나빴어요. 그래서 ....

4) 오늘은 길이 복잡해요. 그래서 ....

5) 백화점은 비싸요. 그래서 ....

6) 맥주를 많이 마셨어요. 그래서 ....

5 다음을 읽고 순서를 쓰세요.

가 : 제 친구들은 한국 음식을 좋아하니까 불고기를 만들려고 합니다.
나 : 그래서 외국 친구들을 초대했어요.
다 : 내일은 제 생일입니다.
라 : 불고기를 먹으면서 이야기도 하고 음악도 듣겠어요.

(다) – (   ) – (   ) – (   )

6 1) 생일에 무엇을 합니까?

2) 우리 같이 생일 노래를 합시다.

생일 축하합니다.
생일 축하합니다.
사랑하는 .... 씨,
생일 축하합니다.

7 어제는 영숙 씨의 생일이었습니다. 저녁에 친구들이 영숙 씨의 집에 갔습니다. 잘 듣고 이름과 그림을 연결하세요.

- 다나카
- 수미
- 영희
- 마이클
- 영숙

8 무엇을 마십니까? 잘 듣고 모두 고르세요.

1) 다나카

2) 윌슨

3) 마이클

4) 수미

20과 경주로 여행을 떠났습니다

월슨과 나는 경주로 여행을 떠났습니다. 우리는 아침 아홉 시에 출발하는 기차를 탔습니다. 오후 두 시에 경주에 도착했습니다. 날씨가 참 좋았습니다. 기차 안에는 사람들이 매우 많았습니다. 창 밖의 산들이 아름다웠습니다. 여행은 참 즐거웠습니다.

Unit 20

We Went on a Trip to Kyongju.

Wilson and I went on a trip to Kyongju. We took the train that left at 9:00 in the morning. We arrived at Kyongju at 2:00 in the afternoon. The weather was fine. There were many people on the train. Outside, the mountains were beautiful. We enjoyed the trip.

여행 trip
경주 Kyongju
떠나다 to leave
출발하다 to depart
－는 noun modifier
오후 afternoon
도착하다 to arrive
안 inside
매우 very

많다 to be many
창 window
밖 outside
산 mountain
아름답다 to be beautiful
즐겁다 to enjoy

★ 공항 airport
부산 Pusan
비행기 airplane
김포공항
　　Kimpo Airport
도착 arrival
오전 morning
여행하다 to go on a trip
맛(이) 있다 to be tasty

발음
Pronunciation

① 도착합니다 [도차캄니다]
② 창 밖의 산 [창바께산]

문법
Grammar

① V-는 N | V + noun modifier N

10시에 출발하는 기차를 탔어요.	We took the ten o'clock train.
한국어를 배우는 학생들이 많아요?	Are there many students (who are) learning Korean?
제가 다니는 회사가 시내에 있어요.	The company I work for is in downtown.
공항으로 가는 버스가 어디에 있습니까?	Where can I take the bus that goes to the airport?
이것은 내가 좋아하는 노래예요.	This is the song I like.

② 아름답다 | to be beautiful

산들이 아름답습니다.	The mountains are beautiful.
꽃이 참 아름다워요.	The flowers are very beautiful.
음악이 아름다워서 좋습니다.	I like the music because it's beautiful.

아름답다	아름답습니다	아름답고	아름답지만
아름다워요	아름다우니까	아름다워서	

| 즐겁다 | | to enjoy N | |

여행은 참 즐겁습니다.
어제는 즐거웠어요.

We enjoy taking trips.
We had a good time yesterday.

즐겁다	즐겁습니다	즐겁고	즐겁지만
즐거워요	즐거우니까	즐거워서	

Vocabulary

어휘와 표현

① 떠나다   to leave

이 기차는 언제 떠나요?
– 9시에 떠납니다.
버스가 어디에서 떠나요?
– 서울역에서 떠나요.
그들은 어디로 떠났어요?
– 부산으로 떠났어요.
우리는 함께 여행을 떠납니다.

When does this train leave?
- It leaves at 9:00.
Where does the bus leave from?
- It leaves from Seoul Station.
Where were they headed?
- They left for Pusan.
We are going on a trip together.

② 출발하다   to depart

비행기는 어디에서 출발합니까?
– 김포공항에서 출발합니다.
몇 시에 출발합니까?
– 오후 5시 반에 출발합니다.
버스가 어디로 출발했어요?
– 부산으로 출발했어요.

Where do planes depart from?
- They depart from Kimpo Airport.
What time are you leaving?
- I'm leaving at 5:30 p.m.
Where was the bus headed?
- It left for Pusan.

③ 도착하다　　　　　　　　　　　　　to arrive

버스가 몇 시에 도착해요?　　　　　　What time does the bus arrive?

– 오후 3시 45분에 도착해요.　　　　- It arrives at 3:45 p.m.

기차가 도착했어요?　　　　　　　　Did the train arrive?

– 네, 서울역에 도착했어요.　　　　- Yes, it arrived at Seoul Station.

도착 시간은 오전 10시 15분이에요.　The arrival time is 10:15 a.m.

④ 여행　　　　　　　　　　　　　trip

주말에 여행(을) 떠납시다.　　　　Let's go on a trip this weekend.

시간이 있으니까 여행(을) 할까요?　Shall we go on a trip since we have time?

Notes

1. –는 is a noun modifier added to an action or process verb. It denotes an action or process which is taking place now or is true at present.

186　한국어 1

연습 1

① 가 : (버스, 몇 시) 버스가 몇 시에 도착해요?
　나 : 9시에 도착해요.

1) 가 : (그 기차, 어디) _____ ?
　　나 : 서울역에서 출발합니다.

2) 가 : (비행기, 언제) _____ ?
　　나 : 5시 30분에 부산에 도착해요.

3) 가 : (이 버스, 어디) _____ ?
　　나 : 부산으로 떠나요.

4) 가 : (윌슨 씨, 어디) _____ ?
　　나 : 경주로 여행을 갔어요.

② 영숙 씨는 친구를 만나요.
　(영숙 씨가 만나는) 친구는 철수 씨예요.

1) 윌슨 씨는 영화를 봐요.
　(_____) 영화는 재미있어요.

2) 아버지는 회사에 다니세요.
　(_____) 회사는 시내에 있어요.

3) 영희는 버스를 타요.
　(_____) 버스는 289번 버스예요.

4) 나는 사과를 먹어요.
　(_____) 사과는 맛있어요.

연습 2

Exercise 2

① 20과를 읽고 대답하세요.

1) 누가 여행을 떠났습니까?
2) 두 사람은 어디로 여행을 떠났습니까?
3) 몇 시에 출발하는 기차를 탔습니까?
4) 날씨가 어땠습니까?
5) 여행을 하면서 무엇을 보았습니까?

② 다음과 같이 하세요.

출발하는, 아침, 9시에, 탑니다, 기차를
⇨ 아침 9시에 출발하는 기차를 탑니다.

1) 경주로, 함께, 윌슨 씨와, 떠납니다, 여행을
   ⇨ ....
2) 안에는, 기차, 매우, 많습니다, 사람들이
   ⇨ ....
3) 있으니까, 할까요?, 여행을, 시간이, 주말에
   ⇨ ....
4) 가는, 어디에, 버스가, 있습니까?, 공항으로
   ⇨ ....

③
가 : 이것은 무슨 책이에요?
나 : (윌슨 씨, 공부하다) 윌슨 씨가 공부하는 책이에요.

1) 가 : 이것은 몇 시 기차예요?
   나 : (7시, 출발하다) .... 기차예요.
2) 가 : 저기는 어디예요?
   나 : (나, 다니다) .... 학교예요.
3) 가 : 저 분은 누구세요?
   나 : (우리, 가르치시다) .... 선생님이세요.
4) 가 : 이것은 어디로 가는 버스예요?
   나 : (서울대학교, 가다) .... 버스예요.

④ 다음을 읽고 .... 에 쓰세요.

> 이 사람들은 모두 제 친구들이에요. ① 철수는 야구를 좋아해요. ② 윌슨은 아침을 못 먹었어요. 그래서 지금 식당에 가요. ③ 영숙이는 아침에 지하철을 타요.
> ④ 민석이는 커피를 좋아해요. 아침에 커피를 마시면서 신문을 읽어요. ⑤ 영호는 어제 술을 많이 마셔서 피곤해요. 그래서 지금 자요. ⑥ 다나카는 선생님이에요. 학교에서 일본어를 가르쳐요. 저는 이 친구들을 아주 좋아해요.

이 사람들은 모두 제 친구입니다. ① 야구를 좋아하는 사람은 철수입니다. 아침을 못 먹어서 지금 ② ＿＿＿＿＿＿ 사람은 윌슨입니다. ③ ＿＿＿＿＿＿ 사람은 영숙입니다. ④ ＿＿＿＿＿＿ 사람은 민석입니다. 민석이는 커피를 좋아합니다. 지금 ⑤ ＿＿＿＿＿＿ 사람은 영호입니다. 어제 술을 많이 마셔서 피곤합니다. 학교에서 ⑥ ＿＿＿＿＿＿ 사람은 다나카입니다. 일본어 선생님입니다. 저는 이 친구들이 아주 좋습니다.

5 어디로 여행을 갑니까? 친구의 대답을 쓰세요.

어디로 여행을 떠납니까?	....
무엇을 타고 갑니까?	....
몇 시에 출발해서 몇 시에 도착합니까?	출발 도착 ....
여행을 가서 무엇을 하려고 합니까?	....

6 잘 듣고 맞는 답을 고르세요.

1) ① 토요일 아침   ② 토요일 오후   ③ 오늘 아침

2) ① 48,000원   ② 24,000원   ③ 50,000원

3) ① 아침 9시 30분   ② 오후 2시 30분   ③ 오후 2시

21과 옷을 한 벌 사고 싶어요

윌슨 : 옷을 한 벌 사고 싶어요.
　　　시장에 같이 갈 수 있어요?
영숙 : 네, 같이 갈 수 있어요. 뭘 타고 갈까요?
윌슨 : 걸읍시다. 여기서 가까우니까요.
영숙 : 그래요. 천천히 걸으면서 거리 구경도 합시다.

Unit 21

I Want to Buy an Outfit.

Wilson 　　: I want to buy an outfit.
　　　　　　Can you go to the market with me?
Youngsook : Yes, I can. How will we get there?
Wilson 　　: Let's walk. It's not far from here.
Youngsook : Okay. Let's walk slowly and have a
　　　　　　look around on the way.

벌 article of clothing
–고 싶다 to want
–(으)ㄹ 수 있다 can
걷다 to walk
여기서 here, from here
가깝다 to be near
–(으)니까요 because
천천히 slowly
거리 street

★ 셔츠 shirts
원피스 (one-piece) dress
저기서 there
거기서 from there
라디오 radio
잘 well
멀다 to be far
싸다 to be cheap
대화 conversation
일기 diary
비빔밥 pibimbap

발음
Pronunciation

1. 걸읍시다 [거릅씨다]
2. 걸으면서 [거르면서]

문법
Grammar

1. V-고 싶다 — to want to V

저는 책을 사고 싶습니다.	I want to buy a book.
무엇을 마시고 싶으세요?	What do you want to drink?
– 맥주를 마시고 싶어요.	- I want to drink beer.
주말에 산에 가고 싶었지만 못 갔어요.	I wanted to go to the mountains at the weekend, but I couldn't go.

2. V-(으)ㄹ 수 있다 — can V

집에 같이 갈 수 있어요?	Can you go home with me?
어디에서 수영할 수 있습니까?	Where can we swim?
나는 김치를 먹을 수 있어요.	I can eat kimchi.
한국말을 할 수 있습니까?	Can you speak Korean?

3. 타고 가다[오다] — to go by/to take

무엇을 타고 갈까요?	How will we get there?
– 버스를 타고 갑시다.	- Let's go by bus.
택시를 타고 갈까요?	Shall we go by taxi?
– 지하철이 빠르니까 지하철을 타고 갑시다.	- Let's go by subway because it's faster.
버스를 타고 오셨어요?	Did you come by bus?
– 아니오. 늦어서 택시를 타고 왔어요.	- No. I came by taxi because I was running late.

④ S-(으)니까요 — because/since S

빨리 떠납시다. 시간이 없으니까요.

(시간이 없으니까 빨리 떠납시다.)

지하철을 타야 해요. 버스가 복잡하니까요.

(버스가 복잡하니까 지하철을 타야 해요.)

걸읍시다. 여기서 가까우니까요.

(여기서 가까우니까 걸읍시다.)

Let's hurry up and get going since we don't have much time.

(Since we're running out of time, let's hurry up and get going.)

I have to take the subway because the bus is too crowded.

(Since the bus is too crowded, I have to take the subway.)

Let's walk because it's near here.

(Since it's near here, let's walk.)

Vocabulary

어휘와 표현

① 벌 — article of clothing

옷	한		clothing
셔츠	두	벌	shirt
원피스	세		dress

원피스를 한 벌 사려고 해요. I am going to buy a dress.

이 옷 한 벌에 얼마입니까? How much is this outfit?

② N서 — contracted form of '에서'

어디서 ⇦ 어디에서 where

여기서 ⇦ 여기에서 here

저기서 ⇦ 저기에서 there

거기서 ⇦ 거기에서 from there

어디서 만날까요? Where shall we meet?

학교가 여기서 가까워요. The school is nearby.

저기서 버스를 탑시다.   Let's take a bus over there.

학생들이 거기서 공부합니다.   The students are studying there.

③ 걷다   to walk

같이 걸을까요?   Shall we walk together?

– 네, 좋아요. 걸읍시다.   - Sure. Let's walk.

빨리 걸으세요.   Walk quickly.

눈이 오니까 걷고 싶어요.   I want to take a walk in the snow.

걷습니다	걷고	걷지만		
걸어요	걸었어요	걸어서	걸으니까	걸으면서

걸어(서) 가다[오다]   to walk

저는 학교에 걸어왔어요.   I walked to school.

어떻게 갈까요?   How should we get there?

– 날씨가 좋으니까 걸어서 갑시다.   - Let's go by foot since it's fine.

* 듣다   to listen

나는 어제 음악을 들었어요.   I listened to music yesterday.

동생은 라디오를 듣습니다.   My younger brother/sister is listening to the radio.

잘 들으세요.   Listen carefully.

④ (N에서) 가깝다   to be close to N

서울대는 집에서 가깝습니다.   Seoul National University is close to my home.

시장이 학교에서 가까워요.   The market is close to school.

가까우니까 걸읍시다.   Since it's nearby, let's walk.

* (N에서) 멀다	to be far from

프랑스는 한국에서 아주 멀어요.   France is a long way from Korea.

백화점이 여기서 멀어요?   Is the department store far from here?

지하철역이 집에서 멀어요. (그래서   The subway station is far from my home. (So, I

버스를 타야 해요.)   have to take a bus.)

⑤ 천천히	slowly

좀 천천히 걸읍시다.   Let's walk slowly, please.

천천히 가세요. 시간이 많으니까요.   Slow down. We have plenty of time.

Notes

1. 서 is the shortened form of 에서.
2. In some verbs with stems that end with '⊏', the final '⊏' turns into 'ㄹ' when it is followed by a vowel-initial particle as is seen in 걷습니다 ⇒ 걸어요 and 듣습니다 ⇒ 들어요.

연습 1
Exercise 1

①

　🧑‍🦰 : 무엇을 하고 싶어요?

　🧑 : (책) 책을 읽고 싶어요.

　　1) 가 : 무엇을 먹고 싶어요?
　　　　나 : (불고기)
　　2) 가 : 무엇을 배우고 싶어요?
　　　　나 : (한국 노래)
　　3) 가 : 무엇을 듣고 싶어요?
　　　　나 : (윌슨 씨의 노래)
　　4) 가 : 어느 대학교에 다니고 싶어요?
　　　　나 : (서울대학교)
　　5) 가 : 어디를 구경하고 싶어요?
　　　　나 : (경주와 제주도)

② 걷다, 시장이 여기서 가깝다 ⇨ 걸읍시다. 시장이 여기서 가까우니까요.

　　1) 여기서 옷을 사다, 싸다　　　　⇨
　　2) 지하철을 타다, 길이 복잡하다 ⇨
　　3) 여행을 떠나다, 시간이 있다　 ⇨
　　4) 한국 노래를 듣다, 재미있다　 ⇨
　　5) 천천히 걷다, 날씨가 좋다　　 ⇨

③ 가 : 날씨가 춥습니까?
　 나 : (네) 네, 추워요.

　　1) 가 : 서울대학교는 집에서 가깝　　　2) 가 : 지금 노래를 듣습니까?
　　　　　 습니까?　　　　　　　　　　　　　 나 : (네)
　　　　나 : (네)

　　3) 가 : 요즈음도 바쁘십니까?　　　　4) 가 : 여행이 즐거웠습니까?
　　　　나 : (네)　　　　　　　　　　　　　 나 : (네)

연습 2

Exercise 2

① 21과를 읽고 대답하세요.

1) 윌슨은 왜 시장에 가려고 합니까?
2) 영숙이도 같이 갑니까?
3) 그들은 지하철을 타고 갑니까?
4) 시장은 여기서 가깝습니까?
5) 그들은 시장에 가면서 무엇을 하려고 합니까?

② 천천히, 빨리, 다음, 참, 매우, 못, 안

1) 오늘은 날씨가 (매우) 좋습니다.
2) 10시 기차는 떠났어요. (   ) 기차를 타세요.
3) 저는 바빠서 학교에 (   ) 왔습니다.
4) 우리 모두 한국 음식을 (   ) 좋아해요.
5) 저기 저 버스를 타야 해요. (   ) 걸읍시다.
6) 가게 구경을 하면서 (   ) 걸었어요.

③ 다음을 보고 대화 연습하세요.

책 / 한국어책 / 요즘 한국어를 배우다

: 지금 뭘 하고 싶어요?
: 저는 책을 읽고 싶어요.
: 무슨 책을 읽고 싶어요?
: 한국어책을 읽고 싶어요.
: 한국어책을 읽을 수 있어요?
: 네, 읽을 수 있어요.
   요즘 한국어를 배우니까요.

1) 운동 / 야구 / 날씨가 좋고 시원하다
2) 꽃 / 장미 / 요즘 장미가 싸다
3) 옷 / 바지 / 한국말을 좀 하다
4) 주스 / 사과 주스 / 가방 안에 1병 있다

④ 다음은 다나카 씨의 일기입니다.

1) 읽고 대답하세요.

　　어제 나는 서울 시내 구경을 하고 싶어서 친구들에게 전화를 했습니다. 그들은 모두 서울대학교에서 한국어를 배우는 외국 학생들입니다. 우리는 오후에 학교 앞에서 만나서 지하철을 타고 남대문시장에 갔습니다. 시장을 구경하고 우리는 시장 안에 있는 식당에 가서 저녁을 먹었습니다. 불고기도 맛있고 비빔밥도 맛있었습니다. 그리고 저녁 8시쯤에 집에 왔습니다. 참 재미있었습니다. 다음에 다시 한 번 가고 싶습니다.

---

① 왜 어제 친구들에게 전화했어요?

　　　　　　　　　　　　　　　　　　　　　　　　.

② 친구들은 어디에 다녀요?

　　　　　　　　　　　　　　　　　　　　　　　　.

③ 남대문 시장에 어떻게 갔어요?

　　　　　　　　　　　　　　　　　　　　　　　　.

④ 식당은 어디에 있었어요?

　　　　　　　　　　　　　　　　　　　　　　　　.

⑤ 다나카 씨는 무엇을 먹었어요?

　　　　　　　　　　　　　　　　　　　　　　　　.

⑥ 남대문시장 구경이 어땠어요?

　　　　　　　　　　　　　　　　　　　　　　　　.

2) 다나카 씨가 윌슨 씨에게 전화합니다. .... 에 쓰고 이야기하세요.

다나카 : 여보세요. 거기 _____ 이지요?

윌슨　 : 네, 제가 _____. 누구세요?

다나카 : 저는 다나카예요. 안녕하세요?

윌슨　 : 아, 안녕하세요. 다나카 씨.

다나카 : 오늘 _____ 고 싶어요. 같이 _____.

윌슨　 : 네, 좋아요. 저도 _____.

다나카 : 그러면 언제 _____?

윌슨　 : 오후에 학교 앞에서 _____.

　　　　　　*　　　　　　*　　　　　　*

윌슨　 : 뭘 먹을까요?

다나카 : _____ 이 어때요? 저는 _____ 을 참 좋아해요.

윌슨　 : 그래요? _____ 은/는 저도 아주 좋아하는 음식이에요.

다나카 : 좋아요. 그러면 우리 _____.

🎧 ⑤ 잘 듣고 맞으면 O, 틀리면 X 하세요.

1) (　　　　)
2) (　　　　)
3) (　　　　)

🎧 ⑥ 잘 듣고 맞으면 O, 틀리면 X 하세요.

1) (　　　　)
2) (　　　　)
3) (　　　　)
4) (　　　　)

22과 주말에 무엇을 할 거예요?

철수 : 이번 주말에는 무엇을 할 거예요?

윌슨 : 어머니께 편지를 쓰고, 책을 좀 읽어야 해요.

철수 : 무슨 책을 읽을 거예요?

윌슨 : 며칠 전에 한국 역사책을 한 권 샀는데, 주말에 보려
고 해요. 철수 씨는 뭘 할 거예요?

철수 : 친구와 같이 산에 가려고 해요.

Unit 22

What Are You Going to Do During the Weekend?

Chulsoo : What are you doing this weekend?
Wilson : I have to write to my mother and read a book.
Chulsoo : What book are you going to read?
Wilson : A few days ago, I bought a Korean history book,
and I'm going to read it over the weekend.
How about you, Chulsoo?
Chulsoo : I'm going to the mountains with a friend.

이번 this time
-(으)ㄹ 거예요
  sentence ending
편지 letter
쓰다 to write
며칠 several days
전 before
역사 history,
권 volume
-ㄴ데/-은데/-는데
  conjunction
와/과 같이 with

★ 피곤하다 to be tired
조금 a little
사전 dictionary

발음
Pronunciation

① 할 거예요 [할꺼예요]
② 샀는데 [산는데]

문법
Grammar

① V-(으)ㄹ 거예요 | to be going to V

주말에 무엇을 할 거예요?	What are you going to do this weekend?
– 나는 책을 읽을 거예요.	- I am going to read a book.
일요일에 어디에 갈 거예요?	Where are you going on Sunday?
– 친구와 같이 극장에 갈 거예요.	- I am going to the movies with a friend of mine.
누구를 만날 거예요?	Who are you going to meet?
– 유 선생님을 만날 거예요.	- I'm going to meet Mr./Ms. Yoo.

② S-ㄴ데/은데/는데 S | S and [but] S

날씨가 추운데 집에 빨리 갑시다.	It's cold, so let's hurry home.
오늘은 피곤한데 좀 쉽시다.	I am tired today, so let's take a rest.
김 선생님을 만나고 싶은데 어디에 계세요?	I want to see Mr./Ms. Kim, but do you know where he is?
지금 시장에 가는데 윌슨 씨도 같이 가겠어요?	I am going to the market now. Do you want to go with me, Wilson?
어제 책을 한 권 샀는데 내일 읽으려고 해요.	I bought a book yesterday and I'm planning to read it tomorrow.
어제는 날씨가 좋았는데 오늘은 나빠요.	It was fine yesterday but it's not today.
영숙이는 학교에 왔는데 철수는 안 왔어요.	Youngsook came to school but Chulsoo didn't.

③

N 전에

N before

before N

N ago

조금		a little before
며칠		a few days ago
9시	전에	before 9:00
세 시간		3 hours ago
30분		30 minutes ago

9시 전에 학교에 왔어요.

조금 전에 밥을 먹었어요.

그 비행기는 30분 전에 김포공항에 도착했어요.

I arrived at school before 9:00.

I ate just a little while ago.

That plane arrived at Kimpo Airport thirty minutes ago.

어휘와 표현
Vocabulary

① 이번

this time/this (coming)

이번 주말에 극장에 가려고 해요.

이번 토요일에 뭘 할 거예요?

이번에는 친구에게 편지를 쓰려고 해요.

이번에는 야구 구경을 합시다.

I am planning to go to the movies this weekend.

What are you doing this coming Saturday?

This time I plan to write to my friend.

This time let's go watch a baseball game.

② 쓰다

to write

이 선생님은 역사책을 쓰셨어요.

나는 한국어책을 쓰려고 해요.

Mr./Ms. Lee wrote a history book.

I plan to write a Korean language (text)book.

공책에 쓰세요.	Please write in your notebook.
무엇을 썼어요?	What did you write?
우리는 한국어를 읽고 써요.	We read and write Korean.

씁시다	쓰니까	쓰면서	쓰고	쓰지만
써요	썼어요	써서		

N에게/께 편지를 쓰다	to write (a letter) to

| 나는 주말에 친구에게 편지를 쓸 거예요. | I'm going to write (a letter) to my friend at the weekend. |
| 영숙이는 부모님께 편지를 썼어요. | Youngsook wrote (a letter) to her parents. |

③ 며칠	several days

며칠 전에 친구를 만났는데 내일 다시 만날 거예요.	I met a friend several days ago and I am going to meet him/her again tomorrow.
며칠 전에 책을 샀는데 주말에 읽으려고 해요.	I bought a book several days ago and I plan to read it during the weekend.
부모님은 며칠 전에 부산으로 여행을 떠나셨어요.	My parents left on a trip to Pusan several days ago.

④ 권	volumes (copies of books)

책	한		one	book
공책	두	권	two	notebooks
사전	세		three	dictionaries

한국어 사전 한 권을 사야 해요.	I have to buy a Korean dictionary.
공책 다섯 권 주세요.	I would like five notebooks, please.
박 선생님은 영어 책을 두 권 쓰셨어요.	Mr./Ms. Park wrote two English language (text)books.

⑤ **N와/과 같이**　　　　　　　　　　　　　(together) with N

나는 친구와 같이 산에 가려고 해요.　　　I plan to go to the mountains with a friend.
형과 같이 시장에 갔어요.　　　　　　　I went to the market with my older brother.

N와/과 함께　　　　　　　　　　　　　(together) with N

저와 함께 식당에 갑시다.　　　　　　　Let's go to the restaurant together.
동생과 함께 제주도로 여행갈　　　　　I am going on a trip to Chejudo with my younger
거예요.　　　　　　　　　　　　　　　brother/sister.

Notes

1. −(으)ㄹ 거예요 is a sentence ending marker denoting a future plan or intention.
2. −ㄴ데/은데/는데 are conjunctive endings in which the first sentence sets the background for the second sentence.
3. As explained in Lesson 16, when the particle −어/아 is added to a verb stem ending with the vowel '—', the vowel is dropped and the appropriate form of the particle is added, as in 쓰다 ⇨ 써서.

연습 1

Exercise 1

① 가 : 토요일에 뭘 할 거예요?

나 : (편지, 쓰다) 토요일에는 편지를 쓸 거예요.

1) 가 : 주말에 뭘 할 거예요?

    나 : (옷, 사다)

2) 가 : 금요일에 뭘 할 거예요?

    나 : (책, 읽다)

3) 가 : 토요일에 뭘 할 거예요?

    나 : (영화, 보다)

4) 가 : 일요일에 뭘 할 거예요?

    나 : (야구 구경, 가다)

5) 가 : 월요일에 뭘 할 거예요?

    나 : (도서관, 공부하다)

② 가 : 주말에는 뭘 할 거예요?

나 : (한국어를 공부하다, 친구를 만나다) 주말에는 한국어를 공부하고
친구를 만날 거예요.

1) 가 : 오늘 저녁에는 뭘 할
거예요?

    나 : (공부하다, 음악을 듣다)

2) 가 : 점심 시간에 무엇을 할
거예요?

    나 : (커피를 마시다, 운동하다)

3) 가 : 일요일에는 뭘 할 거예요?

    나 : (편지를 쓰다, 여행가다)

4) 가 : 토요일에는 뭘 할 거예요?

    나 : (영어를 가르치다, 집에서
쉬다)

③ 영어를 배워요. 어려워요.

⇨ 영어를 배우는데 어려워요.

1) 시간이 없어요. 버스가 안 와요.

    ⇨

2) 한국어를 공부해요. 친구가 전화했어요.
  ⇨

3) 오늘은 바빠요. 시험 공부를 해야 해요.
  ⇨

4) 나는 냉면을 먹었어요. 친구는 비빔밥을 먹었어요.
  ⇨

5) 어제 영화를 보았어요. 재미있었어요.
  ⇨

4

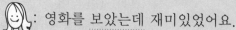
: 어제 무엇을 했어요?

: 영화를 보았는데 재미있었어요.

1) 가 : 지금 밖에 비가 와요?
   나 : 네, 비가 ⋯⋯⋯⋯⋯ 우산이 없어요.

2) 가 : 요즈음 뭘 배워요?
   나 : 영어를 ⋯⋯⋯⋯⋯ 어려워요.

3) 가 : 어제 무엇을 했어요?
   나 : 시장에 ⋯⋯⋯⋯⋯ 사람이 많았어요.

5) 가 : 영숙 씨, 무엇을 먹고 싶어요?
   나 : 나는 아이스크림을 ⋯⋯⋯⋯⋯ 윌슨 씨는 어때요?

4) 가 : 어머니는 어디에 가셨어요?
   나 : 미국에 ⋯⋯⋯⋯⋯ 내일 오실 거예요.

연습 2

Exercise 2

① 22과를 읽고 대답하세요.

1) 윌슨 씨는 누구에게 편지를 쓸 거예요?
2) 윌슨 씨는 한국 역사책을 몇 권 샀어요?
3) 윌슨 씨는 언제 그 책을 읽으려고 해요?
4) 철수 씨는 주말에 무엇을 할 거예요?

②

어제는 비가 왔어요.
⇨ 어제는 비가 왔는데 오늘은 비가 오지 않아요.

1)

나는 요즈음 한국어를 배워요.
⇨ ....

2)

아침에 지하철을 탔어요.
⇨ ....

3)

친구가 이 사과를 주었어요.
⇨ ....

4)

빨리 가야 해요.
⇨ ....

5)

어제 아주 피곤했어요.
⇨ ....

6)

옷을 한 벌 사고 싶었어요.

⇨ ....

③ 길에 차가 많아서 지하철을 탔어요.
길에 차가 많은데 지하철을 탑시다.

1) 날씨가 더워서 ....
　　날씨가 더운데 ....

2) 김 선생님을 만나고 싶어서 ....
　　김 선생님을 만나고 싶은데 ....

3) 비가 와서 ....
　　비가 오는데 ....

4) 내일 시험이 있어서 ....
　　내일 시험이 있는데 ....

5) 술을 싫어해서 ....
　　술을 싫어하는데 ....

4 그림을 보고 쓰세요.

집에 가는데 비가 와요.
비가 오는데 우산이 없어요.
택시를 타야 하는데 돈이 없어요.

1)

① 한국어를 공부하는데 어려워요.

② _____ .

③ _____ .

2)

① 시장에 갔는데 날씨가 더웠어요.

② _____ .

③ _____ .

5 잘 듣고 맞는 답을 고르세요.

1) ① 공원
   ② 제주도
   ③ 학교

2) ① 날씨가 좋아서
   ② 사람들이 많아서
   ③ 시간이 없어서

3) ① 이번 토요일에
   ② 다음 금요일에
   ③ 다음 수요일에

23과 감기에 걸렸어요

약사 : 어떻게 오셨습니까?

철수 : 감기에 걸려서 왔어요. 열이 좀 있고 기침도 해요.

약사 : 요즈음 감기가 유행이에요. 언제부터 아프세요?

철수 : 어제부터요. 무슨 약이 좋을까요?

약사 : 이 약을 잡숴 보세요. 아주 좋은 약입니다.

I've Caught a Cold.

Pharmacist : What brings you here?
Chulsoo   : I think I've caught a cold.
         I have a slight fever and I also have a cough.
Pharmacist : The flu has been going around these days. When did you first feel sick?
Chulsoo   : Yesterday. What should I take?
Pharmacist : Try this medicine. It is very good.

감기 a cold	아프다 to be sick	★ 약국 pharmacy
감기에 걸리다	−(으)ㄹ까요?	까지 to, till
to catch a cold	will it/he/she?	머리 head
약사 a pharmacist	약 medicine	다리 leg
열 fever	잡수(시)다 to eat	배 stomach
좀 a little	−아/어 보다 to try to	입다 to wear
기침 cough	−ㄴ/은	눈 eye
유행하다	noun modifier	귀 ear
to be in fashion		의사 doctor
부터 starting from		병원 hospital

발음
Pronunciation

① 잡쉬 보세요 [잡쒀보세요]

문법
Grammar

① N부터	since N

언제부터 한국말을 배우셨어요?	Since when have you been learning Korean?
내일부터 약국에서 일하려고 합니다.	I am going to be working at a pharmacy from tomorrow.
3월 4일부터 한국어를 가르칩니다.	I am teaching Korean beginning March 4.

* N부터 N까지	from N to N

월요일부터 금요일까지 학교에 옵니다.	I come to school from Monday to Friday.
오전 9시부터 오후 1시까지 공부합니다.	I study from 9 in the morning to 1 in the afternoon.

② N은/는 N이/가 아프다	to be sick/to get hurt

저는 어제 머리가 아팠어요.	Yesterday I had a headache.
다리가 아파서 학교에 못 갔어요.	My leg hurt so I couldn't go to school.
어디가 아프세요?	What's the problem?
– 배가 아파요.	- I have a stomachache.

③ N이/가 A/V-(으)ㄹ까요?	will N be A/V

그 영화가 재미있을까요?	Do you think the movie will be interesting?
– 네, 재미있을 거예요.	- Yes, I think it will be.

영숙 씨가 오늘 학교에 올까요?	Will Youngsook be coming to school today?
– 네, 올 거예요.	- Yes, she will.
무슨 약이 좋을까요?	Which medicine would be good?
– 이 약이 좋을 거예요.	- This medicine would be good.
김 선생님이 댁에 계실까요?	Will Mr./Ms. Kim be at home?
– 아니오. 안 계실 거예요.	- No, he won't be there.
* 무엇을 먹을까요?	* What shall we have?
– 냉면을 먹읍시다.	- Let's have naengmyun.
(우리) 어디로 여행 갈까요?	Where will we go?
– 경주로 갑시다.	- Let's go to Kyongju.
지금 공부할까요?	Will we study now?
– 아니오, 쉽시다.	- No, let's take a rest.

④ V-아/어 보다   to try to V

이 책을 읽어 보세요. 재미있어요.	Try reading this book. It's interesting.
– 네, 읽어 보겠어요.	- Okay, I'll try it.
냉면을 먹어 볼까요?	Shall we try (eating) naengmyun?
– 네, 먹어 봅시다.	- Yes, let's.
이 옷이 좋은데, 입어 보시겠어요?	This (dress) looks good. Why don't you try it on?
어제부터 귀가 아파요.	I've had an earache since yesterday.
– 그러면 의사 선생님께 가 보세요.	- You should go see a doctor.

⑤ A-ㄴ/은 N   noun modifier

여기는 복잡한 거리입니다.	This is a busy street.
이것은 좋은 약입니다.	This is good medicine.
눈이 아픈 사람은 수영장에 못 가요.	Anyone with an eye infection shouldn't go into the swimming pool.
아름다운 음악을 듣습니다.	I am listening to some beautiful music.
즐거운 일요일입니다.	It is a pleasant Sunday.
재미있는 영화를 보고 싶어요.	I want to watch an interesting movie.
이것은 아주 재미없는 책이에요.	This is a very boring book.

어휘와 표현

Vocabulary

① 어떻게 오셨습니까?

What brings you here?

(The literal meaning is "How did you come?")

어떻게 오셨습니까?

What brings you here?

– 감기에 걸려서 왔습니다.

- I came because I've caught a cold.

어떻게 오셨습니까?

What brings you here?

– 박 선생님을 만나고 싶어서 왔어요.

- I came because I wanted to see Mr./Ms. Park.

② 감기에 걸리다

to catch a cold

감기에 걸렸어요.

I've caught a cold.

감기에 걸려서 병원에 갔어요.

I went to hospital because I'd caught a cold.

철수가 감기에 걸려서 기침을 해요.

Chulsoo has a cough because he caught a cold.

③ 열(이) 있다

to have a fever

어제부터 열이 있어요.

I've had a fever since yesterday.

기침은 하지만 열은 없어요.

I have a cough but I don't have a fever.

열이 많아요.

I have a high fever.

기침(을) 하다

to cough

제 동생이 기침을 해요.

My younger brother/sister has a cough.

언제부터 기침을 했어요?

When did you start coughing?

저는 기침을 많이 해요.

I have a bad cough.

④ 좀[조금]　　　　　　　　　　a little

한국말을 좀 합니다.　　　　　I speak a little Korean.

기침을 좀 해요.　　　　　　　I have a slight cough.

열이 조금 있어요.　　　　　　I have a slight fever.

사람들이 많이 왔어요?　　　　Did many people come?

－ 아니오, 조금 왔어요.　　　- No, only a few came.

* 메뉴 좀 주세요.　　　　　　* May I have the menu, please?

  사과 좀 주세요.　　　　　　I'd like some apples, please.

⑤ N이/가 유행이다　　　　　N be common/popular

요즈음 이 옷이 유행이에요.　　These days, this kind of clothing is in fashion.

요즈음 저 노래가 유행입니다.　That song is popular these days.

무슨 옷이 유행입니까?　　　　What kind of clothes are in fashion?

⑥ 먹다[잡수시다]　　　　　　to eat [to eat - politest]

영숙 씨, 무엇을 먹을까요?　　Youngsook, what shall we have?

－ 냉면을 먹읍시다.　　　　　- Let's have naengmyun.

뭘 잡수시겠어요?　　　　　　What would you like?

－ 불고기를 먹겠어요.　　　　- I'll have pulgogi.

어머니는 냉면을 잡수시고 저는　　My mother is eating naengmyun and I am eating

밥을 먹어요.　　　　　　　　rice.

Notes

1. –아/어 보다 is a sentence ending denoting attempt or trial.
2. 좀 is the short term for 조금. It means 'slight' or 'a little'. Depending on the context, 좀 can also mean 'please'.

연습 1
Exercise 1

① (좋다, 날씨) ⇨ 오늘은 (좋은 날씨)입니다.

    1) (따뜻하다, 날씨) ⇨ (   )를 좋아하세요?

    2) (재미있다, 영화) ⇨ (   )를 보았어요.

    3) (아름답다, 꽃)   ⇨ (   )이 있어요.

    4) (즐겁다, 음악)   ⇨ (   )을 들읍시다.

    5) (쉽다, 노래)   ⇨ (   )를 배우고 싶어요.

② 이 책, 읽다 ⇨ 이 책을 읽어 보세요.

    1) 부산, 가다   ⇨

    2) 중국어, 배우다   ⇨

    3) 부모님, 전화하다 ⇨

    4) 한국 술, 마시다   ⇨

    5) 냉면; 잡수다   ⇨

    6) 그 노래, 듣다   ⇨

③ 만나다, 싸다, 잡수다, 사다, 재미있다, 좋다, 즐겁다

    1) 윌슨 씨는 (재미있는) 사람이에요. (만나) 보세요.

    2) 시장에는 (   ) 옷이 많이 있어요. 한 벌 (   )고 싶어요.

    3) 이것은 (   ) 약이에요. (   ) 보세요.

    4) 오늘은 (   ) 토요일이에요. 무엇을 할 거예요?

연습 2

Exercise 2

① 23과를 읽고 대답하세요.

1) 여기는 어디입니까?
2) 철수는 어디가 아픕니까?
3) 언제부터 아팠습니까?
4) 약사는 철수에게 무엇을 주셨습니까?

② 다음을 보고 이야기하세요.

가 : (어디, 가다) 어디에 갈까요?
나 : (야구장) 야구장에 갑시다.
가 : (재미있다) 야구가 재미있을까요?
나 : 네, 아주 재미있을 거예요.

1) 무슨 주스, 사다 / 사과 주스 / 맛있다
2) 무엇, 배우다 / 일본어 / 쉽다
3) 누구, 전화하다 / 지영 씨 / 집에 있다
4) 무엇, 먹다 / _____ / _____

③ 가 : (내일 산에 가다, 비가 오다) 내일 산에 가는데 비가 올까요?
　　나 : (뉴스를 듣다) 아니오, 안 올 거예요. 뉴스를 들어 보세요.

1) 가 : (내일부터 중국어를 배우고 싶다, 어렵다) ⇨ _____?
　　나 : (배우다) ⇨ 아니오, _____.

2) 가 : (영숙 씨를 만나야 하다, 집에 있다) ⇨ _____?
　　나 : (전화하다) ⇨ 네, _____.

3) 가 : (이 책을 읽고 싶다, 재미있다) ⇨ _____?
　　나 : (읽다) ⇨ 네, _____.

4) 가 : (시장에서 김치를 샀다, 맵다) ⇨ _____?
　　나 : (먹다) ⇨ 아니오, _____.

4 대답하세요.

1) 요즈음 무슨 노래가 유행입니까? ....

2) 언제부터 한국어를 배웠습니까? ....

3) 내일 날씨가 더울까요? (추울까요?, 좋을까요?) ....

4) 감기에 걸렸어요. 어떻게 하겠어요? ....

5 다음을 쓰세요.

1)

2)

3)

4)

6 잘 듣고 맞는 답을 고르세요.

1) ①    ②   ③

2) ① 10,000원   ② 5,000원   ③ 15,000원

3) ① 이 사람은 한국어를 공부했어요.
　 ② 한국 학생들이 공부하는 책을 샀어요.
　 ③ 영어가 없는 책을 사려고 해요.

24과 무엇을 드시겠어요?

아가씨 : 어서 오세요. 모두 세 분이세요?

철수　 : 아뇨. 조금 후에 한 사람이 더 올 거예요.

아가씨 : 이리 앉으세요. 무엇을 드시겠어요?

철수　 : 커피를 주세요.

영철　 : 나는 인삼차요.

윌슨　 : 저도 인삼차를 마셔 볼까요?

철수　 : 아, 저기 영희가 와요.

윌슨　 : 영희 씨, 왜 늦었어요?

영희　 : 늦어서 미안해요.

　　　　길이 복잡해서 빨리 올 수가 없었어요.

Unit 24

What Would You Like to Have?

Waitress   : Hello. Would you like a table for three?

Chulsoo   : No, we're expecting another person.

Waitress   : Please take a seat over here. What would you like to have?

Chulsoo   : I'd like some coffee, please.

Youngchul : Ginseng tea for me, please.

Wilson   : Shall I also try ginseng tea?

Chulsoo   : Ah, here comes Younghee.

Wilson   : Younghee, why are you late?

Younghee : I am sorry. The traffic was heavy, so I couldn't get here sooner.

들다 to have (food)
아가씨 young lady/waitress
아뇨 no
후(에) after
더 more
이리 this way
인삼차 ginseng tea
늦다 to be late
–(으)ㄹ 수가 없다 cannot

★ 손님 customer
운전하다 to drive
그리 there
저리 that way
홍차 black tea
일찍 early
기다리다 to wait

발음
Pronunciation

① 없었어요 [업써써요]

문법
Grammar

① N 후에

N later

조금		a little	
며칠	후에	a few days	later
한 시간		one hour	
5분		five minutes	

기차는 십 분 후에 도착할 거예요. The train will arrive in ten minutes.

조금 후에 다시 오십시오. Please come back a little later.

며칠 후에 만날 수 있어요? Can we meet in a few days?

삼십 분 후에 약을 잡수세요. Take your medicine in 30 minutes time.

② N을/를 들다

to have (to eat) N

무엇을 드시겠어요? What would you like to have?

– 인삼차를 마시겠어요. - I would like ginseng tea.

뭘 드실 거예요? What would you like to have?

– 불고기를 먹겠어요. - I'd like pulgogi.

많이 드셨어요? Have you had enough to eat?

– 네, 많이 먹었어요. - Yes, I have. Thank you.

김 선생님, 이거 좀 드세요. Mr./Ms. Kim, please try some of this.

| 들어서 | 들었어요 | 들고 | 들면서 | 들지만 | | |
| 듣니다 | 드십니다 | 드세요 | 드셨어요 | 드셔서 | 드시니까 | 드시면서 |

* 멀다			to be far	

집에서 학교가 멉니까?　Is the school far from your place?

– 네, 멀어요.　- Yes, it is.

학교가 참 멀어요.　The school is far away.

회사가 멀어서 빨리 출발해야 해요.　The office is far from here, so I must hurry and get going.

멀어요	멀었어요	멀고	멀지만	멀어서
멉니다	머니까			

③ V-(으)ㄹ 수(가) 없다　can not V

영화를 같이 볼 수 있어요?　Could we watch the movie together?

– 미안해요. 오늘은 같이 볼 수 없어요.　- I am sorry. I can't today.

지금 빨리 올 수 있어요?　Can you come over right now?

– 아니오, 미안하지만 지금은 갈 수 없어요.　- I am sorry but I can't.

A/V-아서/어서 V-(으)ㄹ 수(가) 없다	Because A/V – cannot V

배가 아파서 먹을 수가 없어요.　I have a stomachache, so I can't eat anything.

지금은 손님이 와서 갈 수 없어요.　I can't go now because I have a guest.

왜 오늘은 만날 수 없어요?　Why can't we meet today?

– 오늘은 바빠서 만날 수가 없어요.　- I'm afraid that I'm busy today.

왜 운전할 수 없어요?　Why can't you drive?

– 술을 마셔서 운전할 수가 없어요.　- I can't drive, because I've been drinking.

왜 영화를 같이 볼 수 없어요?　Why can't we watch the movie together?

– 시간이 없어서 영화를 같이 볼 수 없어요.　- I can't watch the movie with you, because I don't have the time.

어휘와 표현

Vocabulary

① 아뇨 ⇦ 아니오   No

지금 밖에 비 와요?   Is it raining outside now?
– 아뇨, 안 와요.   - No, it isn't.

② 더 V   more V

한 사람이 더 올 거예요.   We are expecting another person.
커피 한 잔 더 주세요.   I'd like another cup of coffee, please.
물 좀 더 주세요.   I'd like some more water, please.

③ 이리[저리, 그리]   this way [that way]

이리 오세요.   Come this way, please.
저리 빨리 가세요.   Please hurry and go that way.
그리 앉으세요.   Please take a seat over there.

④ N–요   one-word statements

무슨 운동을 좋아하세요?   What sport do you like?
– 야구요.   - Baseball.
뭘 드시겠어요?   What would like you to have?
– 냉면요.   - Naengmyun.
무엇을 살 거예요?   What will you buy?
– 책요.   - A book.

⑤ A/V–아서/어서 미안하다   Because ...., I am sorry

늦어서 미안합니다.   I am sorry (that) I'm late.
전화를 못해서 미안해요.   I am sorry I didn't call.
생일에 못 가서 미안했어요.   I'm sorry I couldn't go on your birthday.

Notes

1. When verb stems ending with '르' are followed by 'ㄴ', 'ㅂ', or 'ㅅ', the consonant '르' is deleted as seen in 들어서 → 드세요 and 멀고 → 머니까.

연습 1
Exercise 1

① (사과, 1) ⇨ 사과 한 개 더 주세요.

1) (종이, 4) ⇨
2) (물, 2)   ⇨
3) (냉면, 3) ⇨
4) (공책, 5) ⇨
5) (맥주, 6) ⇨

②

 : 무엇을 드시겠어요?

 : (냉면) 냉면요.

1) 가 : 어디에 가세요?
　　나 : (도서관)

2) 가 : 무슨 운동을 할 거예요?
　　나 : (야구)

3) 가 : 어디로 여행을 갈 거예요?
　　나 : (미국)

4) 가 : 몇 시에 만날까요?
　　나 : (7시)

5) 가 : 누구를 만났어요?
　　나 : (윌슨)

③

 : 산에 갈 수 있어요?

 : (아뇨, 다리가 아프다) 아뇨, 다리가
　　아파서 산에 갈 수가 없어요.

1) 가 : 아침에 일찍 일어날 수 있어요?
　　나 : (아뇨, 피곤하다)

2) 가 : 김치를 먹을 수 있어요?
　　나 : (아뇨, 맵다)

3) 가 : 어제 친구를 만날 수 있었어요?

나 : (아뇨, 바쁘다)

4) 가 : 이 책을 읽을 수 있어요?

나 : (아뇨, 어렵다)

5) 가 : 토요일 밤에 운전을 할 수 있었어요?

나 : (아뇨, 술을 마시다)

연습 2

Exercise 2

① **24과를 읽고 대답하세요.**

1) 철수는 친구들을 어디에서 만납니까?
2) 모두 몇 사람이 만납니까?
3) 그들은 무슨 차를 마십니까?
4) 영희는 왜 늦었습니까?

② 멀다, 가깝다, 듣다, 아프다, 나쁘다, 걷다

1) 음악을 (들으면)서 숙제를 했어요.
2) 머리가 (   )서 시험 공부를 못했어요.
3) 우리 집은 학교에서 아주 (   )다.
4) 학생 식당이 (   )서 좋아요.
5) 오늘은 날씨가 (   )니까 (   )고 싶지 않아요.

③ 오늘은 화요일이지요? •   • 감기에 걸려서 왔어요.
뭘 드시겠어요? •   • 길이 복잡해서 빨리 못 왔어요.
왜 늦었어요? •   • 지하철을 탑시다.
집에서 학교가 가까워요? •   • 홍차 한 잔 주세요.
어떻게 오셨어요? •   • 아니오, 수요일이에요.
무슨 책을 읽어요? •   • 아니오, 아주 멀어요.
어떻게 갈까요? •   • 역사책요.
날씨가 추울까요? •   • 네, 추울 거예요.

④

 : 오늘 영화를 볼 거예요?
: 아뇨, 내일 시험이 있어서
  볼 수(가) 없어요.

1)

가 : 왜 오늘 산에 못 가요?
나 : 비가 ....

   ....

2)

가 : 며칠 전에 이 차를 샀는데, 운
    전해 보시겠어요?
나 : 저도 하고 싶은데 ....

   ....

3)

가 : 토요일에 우리 집에서 생일 파
    티를 하는데, 올 수 있어요?
나 : 저도 가고 싶지만, 감기에 ......

   ....

4)

가 : 맛이 없어요? 좀 더 드세요.
나 : 맛은 있지만 ....

   ....

5 다음 글을 읽어 보세요.

〈영희는 오늘 친구들과 아침 아홉 시에 만나서 극장에 가려고 합니다.〉

> 가. 거기에는 택시를 타려고 하는 사람들이 많이 있었습니다.
> 나. 친구들은 나를 기다리면서 커피를 마시고 있었습니다.
> 다. 늦어서 택시를 타려고 집 앞 택시 정류장으로 빨리 갔습니다.
> 라. 어제 밤 한 시쯤에 잤는데 아침에는 피곤해서 여덟 시에 일어났습니다.
> 마. 그래서 지하철을 타고 9시 30분에 다방에 도착했습니다.

1) 순서를 쓰세요

(라) ― ( ) ― ( ) ― ( ) ― ( )

2) ( )에 쓰고 대화 연습을 하세요.

: 많이 기다렸어요? ( ) 미안해요.

: 우리도 조금 전에 왔어요. 커피를 ( ) 같이 이야기하고
있었어요.

: 모두 오셨어요? 커피 한 잔 더 드릴까요?

: 저는 인삼차를 ( ).

: 영희 씨, 지금 길이 복잡해요? 어떻게 왔어요?

: 지하철을 ( ). 택시를 타려고 했는데 기다리는 사람들이
( ).

그래서 다시 지하철역으로 갔어요.

: 그래요? 빨리 차 마시고 극장으로 떠납시다.

6 잘 듣고 맞는 답을 고르세요.

1) ① 쉬려고
② 감기에 걸려서
③ 어머니가 아프셔서

2) ① 식사 전 30분
② 식사하면서
③ 식사 후 30분

3) ① 바빠서
② 아파서
③ 손님이 없어서

4) 여기는 어디입니까?
여기는 ( )입니다.

25과 나는 일곱 시에 일어납니다

    나는 서울대에서 공부하는 호주 학생인데 국제회관에서 삽니다. 아침 일곱 시에 일어나서 세수를 합니다. 그리고 아침을 먹습니다. 여덟 시에 국제회관을 떠나서 혜화역에서 지하철을 탑니다. 한국어 수업은 아홉 시에 시작해서 오후 한 시에 끝납니다. 나는 학교 식당에서 한국 친구와 같이 점심을 먹습니다. 그 친구는 내 한국말 숙제를 도와 줍니다. 저녁 여섯 시쯤 나는 국제회관으로 돌아옵니다.

Unit 25

I Get Up at Seven O'clock.

    I am an Australian student studying at Seoul National University. I live at International House. I get up at seven o'clock and wash my face. Then, I eat breakfast. At eight o'clock I leave International House and take the subway at Hyehwa Station. Korean class begins at nine o'clock and ends at one o'clock in the afternoon. I have lunch with my Korean friend at the school cafeteria. She helps me with my Korean homework. At around six o'clock in the evening, I go back to International House.

국제회관 International House
살다 to live
세수하다 to wash one's face
혜화역 Hyehwa Station
수업 class
시작하다 to start
끝나다 to be over
숙제하다 to do homework
돕다 to help
돌아오다 to come back

★ 봉천동 Pongchundong
신림동 Shillimdong
돌아가다 to return
프랑스어
    French (language)

발음
Pronunciation

1. 혜화역 [혜화역]
2. 끝납니다 [끈납니다]
3. 신림동 [실림동]

문법
Grammar

1 N-인데
S, and

저는 호주 학생인데 중국어를 배우려고 합니다.	I am an Australian student, and I am going to study Chinese.
이것은 어머니 편지인데 읽어 보세요.	This is my mother's letter. Try reading it.
이 책은 한국 역사책인데 재미있어요.	This is a Korean history book, and it is interesting.
이 사과는 하나에 800원인데 세 개를 샀어요.	The apples were 800 won each, and I bought three.
어제는 일요일이었는데 무엇을 하셨어요?	It was Sunday yesterday, so what did you do?
내일은 일요일인데 무엇을 하실 거예요?	It's Sunday tomorrow, so what are you going to do?

2 N은/는 N에 시작하다
N start prep N

한국어 수업은 아홉 시에 시작합니다.	Korean class begins at nine o'clock.
그 영화는 아침 10시 30분에 시작했어요.	That movie started at 10:30 a.m.

N은/는 N에 끝나다
N be over N

한국어 수업은 한 시에 끝나요.	Korean class ends at one o'clock.

그 영화는 몇 시에 끝났어요?	When did that movie end?
그 일은 언제 끝날 거예요?	When will you finish that work?

N은/는 N에 시작해서 N에 끝나다	N begin prep N and end prep N

한국어 수업은 9시에 시작해서 1시에 끝나요.	Korean class begins at nine o'clock and ends at one o'clock.
그 일은 2월에 시작해서 6월에 끝나요.	That job starts in February and ends in June.
수업은 언제 시작해서 언제 끝나요?	When does class begin and end?

* N을/를 시작하다	to start N

나는 영어 공부를 시작했어요.	I've started studying English.
언제 그 일을 시작할까요?	When shall we(I) begin the work?
어서 공부를 시작합시다.	Let's start studying immediately.

③ V-아/어 주다	Do something for someone

숙제를 도와 주세요.	Help me with my homework, please.
9시에 학교로 와 주세요.	Come to school at nine o'clock, please.
한국말을 가르쳐 주세요.	Teach me Korean, please.
책을 좀 읽어 주세요.	Please read me the book.
전화를 해 주세요.	Please give me a call.
한국어를 공책에 써 주세요.	Write some Korean in my notebook, please.
친구가 저에게 커피를 사 주었어요.	A friend bought me a cup of coffee.
윌슨 씨가 (나에게) 영어를 가르쳐 줄 거예요.	Wilson will teach me English.
무슨 책을 사 줄까요?	What book should I buy (for) you?
– 역사책을 사 주세요.	- Buy me a history book.

④ N을/를 돕다　　　　　　　　　　to help N

제가 그 친구를 돕습니다.　　　　　　I am helping that friend.

저는 학교 식당일을 도와요.　　　　　I help out in the school restaurant.

집에 돌아가서 어머니를 돕겠어요.　　I will go home and help my mother.

형이 내 숙제를 도와 주었어요.　　　My brother helped me with my homework.

돕습니다	돕겠어요	돕고	돕지만	
도와요	도왔어요	도와서	도우면서	도우니까

어휘와 표현
Vocabulary

① N에(서) 살다　　　　　　　　　to live prep N

내 동생은 봉천동에서 살아요.　　　　My younger brother lives in Pongchundong.

어디에 사세요?　　　　　　　　　　Where do you live?

박 선생님은 신림동에서 사십니다.　　Mr./Ms. Park lives in Shillimdong.

우리 가족은 외국에서 살아요.　　　　My family lives overseas.

어디에서 살고 싶으세요?　　　　　　Where do you want to live?

② N을/를 떠나다　　　　　　　　　to leave N

집을 떠나서 한 시간 후에 회사에 도착했어요.　　　I arrived at the office an hour after I left home.

3월에 서울을 떠나서 8월에 돌아왔어요.　　　I left Seoul in March and returned in August.

그 비행기가 몇 시에 김포공항을 떠났어요?　　　When did that plane leave Kimpo Airport?

③ N에/으로 돌아오다[돌아가다] to return prep N

나는 10시에 집으로 돌아와요. I return home at ten o'clock.

나는 어제 제주도에서 서울로 돌아왔 I came back to Seoul from Chejudo yesterday.
어요.

그 분은 언제 영국에 돌아갈 거예요? When is he/she going to return to England?

Notes

1. 끝나다 means 'to be over' or 'to come to an end'. 끝내다, on the other hand, means 'to finish or end something'.
2. ㅡ아/어 주다 are sentence endings that denote a sense of service. These expressions are usually reserved for the people who are considered equal or inferior to the speaker. Instead of 주다, 드리다 is used to show respect to the addressee.
3. Their variants ㅡ아/어 주세요 roughly mean the sense of 'please'.
4. When verbs with stems that ends with 'ㅂ' are followed by a vowel, the consonant 'ㅂ' is deleted and 'ㅗ' or 'ㅜ' is added to the stem, as in 돕습니다 ⇒ 도와요. 와 is a combination of 'ㅗ + ㅏ'.

연습 1

Exercise 1

① 가 : 언제 갈까요?
　나 : (수요일) 수요일에 와 주세요.

　1) 가 : 무엇을 살까요?
　　나 : (사과)

　2) 가 : 무엇을 읽을까요?
　　나 : (그 책)

　3) 가 : 언제 시작할까요?
　　나 : (아침 9시)

　4) 가 : 몇 시에 전화할까요?
　　나 : (오후 3시)

　5) 가 : 무엇을 도와 드릴까요?
　　나 : (숙제)

② 다나카는 일본 사람입니다. 한국말을 아주 잘합니다.
　⇨ 다나카는 일본 사람인데 한국말을 아주 잘합니다.

　1) 나는 한국 사람입니다. 프랑스어를 잘합니다.
　　⇨ _____ .

　2) 이 책은 한국 역사책입니다. 아주 재미있습니다.
　　⇨ _____ .

　3) 제 미국 친구는 학생이었습니다. 지금은 한국에서 영어를 가르칩니다.
　　⇨ _____ .

　4) 어제는 내 생일이었어요. 친구들이 집에 와서 같이 저녁 식사를 했습니다.
　　⇨ _____ .

연습 2

Exercise 2

① 25과를 읽고 대답하세요.

1) '나' 는 어디에 삽니까?
2) 무엇을 타고 학교에 갑니까?
3) 수업은 몇 시에 끝납니까?
4) 누구와 점심을 먹습니까?
5) '나' 의 친구는 무엇을 도와 줍니까?

② 세수를, 아침 일곱 시에, 일어나서, 합니다
⇨ 아침 일곱 시에 일어나서 세수를 합니다.

1) 떠나서, 학교를, 저녁 다섯 시에, 서울대입구역에서, 탑니다, 지하철을
⇨ ....

2) 끝납니다, 한국어 수업은, 아홉 시에, 시작해서, 오후 한 시에
⇨ ....

3) 내, 숙제를, 한국어, 그 친구는, 도와 줍니다
⇨ ....

4) 점심을, 학교 식당에서, 친구와 같이, 나는, 먹습니다
⇨ ....

5) 국제회관에서, 공부하는, 서울대에서, 나는, 삽니다, 호주 학생인데
⇨ ....

③   저는 서울대학교에서 한국어를 배우는 학생입니다. 제 이름은 폴입니다. 두 달 전에 프랑스에서 왔어요. 한국어를 배우는데 한국어는 재미있지만 아주 어려워요. 그래서 옆방에 사는 친구와 같이 공부하려고 해요. 그 친구는 중국 사람인데 공부를 잘해요. 어제는 내가 친구 집에 갔는데, 오늘은 친구가 우리 집에 올 거예요. 함께 공부도 하고, 야구도 하겠어요.

폴 : 칭 씨, 안녕하세요?
칭 : 안녕하세요, 폴 씨? 요즘 어떻게 지내요?
폴 : 잘 지내요.

칭 : 한국어 공부는 어때요?

폴 : _____.

칭 : 나와 같이 공부 _____?

폴 : 좋아요.

칭 : 어디 _____?

폴 : _____.

칭 : 그러지요. 그럼 오늘 5시에 _____.

폴 : 그래요. 공부도 _____ 야구도 _____.

④ 그림을 보고 쓰세요.

_____

_____

_____

_____

⑤ 옆에 있는 친구에게 이야기해 보세요.

저는 _____ 인데 _____.
_____. _____ 씨는 _____ 인데 _____.
_____ 씨는 _____.

_____
_____
_____

⑥ 잘 듣고 맞는 답을 고르세요.

1) ① 미국　　　　　② 한국　　　　　③ 영국

2) ①　　　　　　　② 　　　　　　　③

3) ① 공항　　　　　② 친구 집　　　　③ 수영장

4) ① 5시　　　　　② 8시 30분　　　③ 6시 30분

26과 오늘은 내가 차 값을 낼게요

영숙　　：오늘은 내가 차 값을 낼게요. 얼마지요?

아가씨：커피 두 잔 드셨지요? 삼천 육백 원입니다.

영숙　　：여기 만 원 있어요.

아가씨：거스름돈 받으세요. 육천 사백 원입니다.
　　　　감사합니다. 또 오세요.

앙리　　：커피 값이 참 비싸군요!

영숙　　：그래요. 물건 값이 많이 올랐어요.

Unit 26

Today I Will Pay for the Drinks.

Youngsook : Today I will pay for the drinks.
　　　　　　How much is it?
Waitress　 : You've had two cups of coffee, right?
　　　　　　That's 3,600 won.
Youngsook : Here is 10,000 won.
Waitress　 : And here's your change. 6,400 won.
　　　　　　Thank you. Please come again.
Henri　　　 : Coffee is really expensive!
Youngsook : It sure is. Price have risen a lot lately.

내가 I
값 price
내다 to pay
-(으)ㄹ게요 I/we will
거스름돈 change
받다 to receive
감사하다 to thank
또 again
-군요 sentence ending

물건 thing
오르다 to rise,
　　　　　to increase

★ 싸다 to be cheap
제가 I
돈 money
예쁘다 to be pretty
요금 fare
이야기 story

발음
Pronunciation

1. 차 값 [차깝]　　　차 값을 [차깝쓸]
2. 낼게요 [낼께요]
3. 거스름돈 [거스름똔]

문법
Grammar

1. (내가) V-(으)ㄹ게요 | I will V

오늘은 내가 차 값을 낼게요.	Today I will pay for the tea.
우리가 그 일을 할게요.	We will do the work.
밤에 일찍 집으로 돌아올게요.	I will return home early in the evening.
주말에 역사책을 읽을게요.	This weekend I will read the history book.

2. A/V-지요? | A/V + sentence ending marker

오늘은 날씨가 춥지요?	It's cold today, isn't it?
– 네, 추워요.	- Yes, it is.
지금 비가 오지요?	It's raining now, isn't it?
– 네, 비가 많이 와요.	- Yes, it's raining heavily.

A/V-았지요/었지요? | A/V + past tense + sentence ending marker

영숙 씨는 점심을 먹었지요?	Youngsook ate lunch, didn't she?
– 네, 먹었어요.	- Yes, she did (eat lunch).
커피 두 잔을 드셨지요?	You had two cups of coffee, right?
– 네, 그래요.	- Yes, that's right.
어제는 참 따뜻했지요?	Yesterday was really warm, wasn't it?
– 네, 따뜻한 날씨였어요.	- Yes, it was (very warm).

얼마		How much	
무엇		What	
어디	(이)지요?	Where	is it?
언제		When	
몇 시		What time	
누구		Who	

이 책이 얼마지요?	How much is this book?
(이 책이 얼마예요?)	
그것이 무엇이지요?	What is that?
(그것이 무엇입니까?)	
거기가 어디지요?	Where is that place?
(거기가 어디예요?)	
생일이 언제지요?	When is your birthday?
(생일이 언제입니까?)	
지금 몇 시지요? (몇 시예요?)	What time is it now?
저 분이 누구시지요?	Who is that person?
(저 분이 누구십니까?)	

③ A-군요 — A + sentence ending marker (exclamatory)

서울의 집 값이 참 비싸군요!	Housing in Seoul is very expensive.
산이 참 아름답군요!	The mountain is very beautiful.
이 책은 아주 재미있군요!	This book is very enjoyable.
꽃이 참 예쁘군요!	The flowers are very pretty.

④ 오르다 — to rise/to increase

물건 값이 많이 올랐습니다.	The price of things has risen a lot.
버스 요금이 올라서 500원이에요.	The bus fare has risen to 500 won.
내일부터 지하철 요금이 오르고 버스 요금도 오를 거예요.	Starting tomorrow, subway fares will rise, and so will bus fares.

오릅니다	오르고	오르니까	오르지만
올라요	올랐어요	올라서	

* 빠르다	to be fast

지하철이 빨라요.   The subway is fast.
비행기는 빠르지만 비싸요.   Planes are fast, but they are expensive.

빠릅니다	빠르고	빠르니까	빠르지만
빨라요	빨랐어요	빨라서	

Vocabulary

어휘와 표현

① 내가[제가]	I + topic particle

내가 차 값을 내겠어요.   I will pay for the tea.
제가 그 일을 했어요.   I did that work.

* 이것은 내 책입니다.   * This is my book.
  저것은 제 구두예요.   Those are my dress shoes.

② 값	price/cost

자동차 값이 참 비싸요.   Cars are very expensive.
이 물건 값이 싸요.   This is cheap.
커피 값이 많이 올랐어요.   The cost of coffee has risen a lot.
책 값이 모두 이만 원입니다.   All the books cost 20,000 won.

(3) N을/를 내다   to pay for N

오늘은 내가 차 값을 낼게요.   Today I will pay for the tea.

영숙 씨가 돈을 낼 거예요.   Youngsook will pay.

8천 원을 내야 해요.   I have to pay 8,000 won.

(4) 또   again

또 오세요.   Please come again.

내일 또 만납시다.   Let's meet again tomorrow.

영숙 씨는 냉면을 또 먹어요?   Youngsook, are you going to have naengmyun again?

Notes

1. −(으)ㄹ게요 is a sentence ending marker expressing the speaker's intention or determination. It is used with the first person subject.

2. −군요 is a sentence ending marker that conveys the speaker's surprised reaction to something. It is used in informal speech.

3. When verbs with stems ending with '르' are followed by 어/아, the '—' in '르' is deleted. At the same time, the remaining 'ㄹ' becomes part of the preceding syllable and 어/아 changes to 러/라, as seen in 오르다 ⇒ 올라요.

연습 1

Exercise 1

① 가 : 전화 좀 하세요.
　 나 : (네) 네, 할게요.

1) 가 : 노래 좀 하세요.
　　 나 : (네)
2) 가 : 편지 좀 쓰세요.
　　 나 : (네)
3) 가 : 차 값 좀 내세요.
　　 나 : (네)
4) 가 : 책을 좀 읽으세요.
　　 나 : (네)
5) 가 : 약을 좀 드세요.
　　 나 : (네)

② 가 : (노래, 하다) 누가 노래를 할 거예요?
　 나 : 제가 할게요.

1) 가 : (책, 읽다)
　　 나 :
2) 가 : (윌슨 씨, 도와 주다)
　　 나 :
3) 가 : (선생님, 전화하다)
　　 나 :
4) 가 : (집, 있다)
　　 나 :
5) 가 : (기차표, 사다)
　　 나 :
6) 가 : (이야기, 하다)
　　 나 :

③ 초대하다 ⇨ 초대해 주셔서 감사합니다.

1) 전화하다 ⇨ _____.
2) 돕다 ⇨ _____.
3) 선물, 사다 ⇨ _____.
4) 우리 집, 오다 ⇨ _____.
5) 한국어, 가르치다 ⇨ _____.
6) 제 이야기, 듣다 ⇨ _____.

연습 2

Exercise 2

① 26과를 읽고 대답하세요.

1) 여기는 어디입니까?
2) 오늘은 누가 차 값을 낼 거예요?
3) 커피는 한 잔에 얼마입니까?
4) 커피 값이 어떻습니까?

② 오르다 / 빠르다

1) 책 값이 많이 (　　　　　)요.
2) 지하철이 (　　　　)지만 복잡해요.
3) 차 값이 (　　　　)서 한 잔에 4,000원이에요.
4) 지하철이 (　　　　)서 좋아요.
5) 내일부터 택시 요금이 (　　　　) 거예요.

③ V-(으)ㄹ게요 / V-(으)ㄹ 거예요

1) 영숙 : 누가 차 값을 낼 거예요?
　 철수 : (영희 씨) ....
2) 영숙 : 철수 씨는 뭘 드시겠어요?
　 철수 : (냉면) ....
3) 영숙 : 윌슨 씨는 언제 집에 돌아올 거예요?
　 철수 : (10시) ....
4) 영숙 : 김 선생님이 댁에 계실까요?
　 철수 : (아니오) ....
5) 영숙 : 누가 전화를 받을 거예요?
　 철수 : (나) ....
6) 영숙 : 무슨 책이 재미있을까요?
　 철수 : (이 책) ....

④

⇨ 집이 참 좋군요!

1)

⇨ ....!

2)

⇨ ....!

3)

⇨ ....!

4)

250km/h

⇨ ....!

5)

⇨ ....!

⑤ 1)

: 사람들이 많지요?

: 네, 사람들이 많아요.

①

가 : .... ?
나 : 네, 아침을 먹었어요.

② 1998년 ⇨ 2000년

가 : _____?
나 : 네, 집 값이 많이 올랐어요.

③

가 : _____?
나 : 네, 날씨가 더워요.

④

가 : _____?
나 : 네, 옷이 아주 예뻐요.

2) 서울대학교

가 : 여기가 어디지요?
나 : 여기는 서울대학교예요.

① 35,000원

가 : _____?
나 : 이 옷은 35,000원이에요.

②

가 : _____?
나 : 제 친구에게 전화했어요.

③

가 : _____?
나 : 4시 15분이에요.

④

가 : _____?
나 : 저 분은 우리 선생님이세요.

6 읽고 대답하세요.

영희와 월슨은 학교 앞에 있는 식당에서 점심을 먹었습니다. 그 식당은 음식이 맛이 있어서 학생들이 모두 좋아합니다. 지난 주말에 월슨이 영희의 영어 공부를 도와 주어서 영희는 월슨에게 점심을 사 주었습니다. 그들은 점심을 먹고 식당 옆에 있는 다방에 갔습니다. 그 다방에서 요즘 유행하는 음악을 들으면서 차를 마셨습니다. 차 값이 많이 올라서 오늘은 커피 두 잔에 5,000원이었습니다. 월슨이 10,000원을 내고 거스름돈 5,000원을 받았습니다. 영희의 집이 학교에서 가까워서 두 사람은 걸어서 영희의 집으로 갔습니다.

1) 영희 : 월슨 씨, 우리 오늘 같이 .... 을 먹을까요?

   월슨 : 좋아요. 어느 식당으로 .... ?

   영희 : .... 에 있는 그 식당으로 가요.

        음식이 .... 서 모두 좋아해요.

   월슨 : 그래요. 어서 갑시다.

2) 월슨 : 영희 씨가 .... 을 냈으니까 제가 .... 를 살게요.

   영희 : 그럼 저 .... 에 가요.

3) 월슨 : 이 음악이 요즘 .... 는 음악이지요?

   영희 : 네, 그래요. 아주 좋지요?

4) 아가씨 : 커피 .... 드셨지요? 모두 .... 이에요.

   영희   : 커피 값이 많이 ....!

   아가씨 : 그래요. 요즘 많이 .... 여기 5,000원

        받으세요.

        고맙습니다. .... 오세요.

7 잘 듣고 맞는 답을 고르세요.

1) ①　　　　　②　　　　　③

2) ① 식사할 거예요.   ② 공항에 갈 거예요.   ③ 전화할 거예요.

3) ① 영숙 씨가 저녁 값을 낼 거예요.
   ② 준석 씨가 영숙 씨를 도와 주었어요.
   ③ 준석 씨가 저녁을 사려고 해요.

27과 겨울 방학에 무엇을 하시겠어요?

철수 : 내일부터 겨울 방학인데 무엇을 하시겠어요?

윌슨 : 저는 이번 겨울에 영국에 갈 거예요.

철수 : 고향에 누가 계세요?

윌슨 : 가족들과 친구들이 살고 있어요.

철수 : 선물을 준비하셨어요?

윌슨 : 네, 어제 백화점에 가서 선물을 샀어요.

철수 : 윌슨 씨가 가면 부모님께서 참 좋아하실 거예요.

윌슨 : 네, 그래서 저도 빨리 가고 싶어요.

Unit 27

What Are You Going to Do During the Winter Vacation?

Chulsoo : Tomorrow is the first day of the winter vacation.
            What are you going to do?
Wilson : This winter I am going to England.
Chulsoo : Who lives in your hometown?
Wilson : My family and friends live there.
Chulsoo : Have you bought any presents for them?
Wilson : Yes, I went to the department store yesterday and
            bought some gifts.
Chulsoo : Your parents will be very happy to see you.
Wilson : Yes, that's why I want to go there as soon as possible.

겨울 winter
방학 vacation
고향 hometown
–고 있다 to be -ing
선물 present, gift
준비하다 to prepare
–(으)면 if
께서 subject marker

★ 계절 season
봄 spring
여름 summer
가을 autumn
고프다 to be hungry

발음
Pronunciation

① 겨울 방학 [겨울빵학]
② 계절 [계절/게절]

문법
Grammar

① V-고 있다 | V + -ing

고향에는 가족이 살고 있어요.   My family lives in my hometown.
저는 지금 한국말을 배우고   I am learning Korean now.
있습니다.
버스를 기다리고 있군요.   You are waiting for the bus.
요즘 무슨 일을 하고 계세요?   What (work) are you doing nowadays?

② S-(으)면 S | If S, S

집에 가면 무엇을 하시겠어요?   When you get home, what are you going to do?
– 집에 가면 숙제를 하겠어요.   - (When I get home,) I will do my homework.
밥을 안 먹으면 배가 고파요.   If I don't eat, I get hungry.
버스에서 내리면 전화하세요.   When you get off the bus, give me a call.
시간이 있으면 우리 집에 오세요.   If you are free, come over to our place.
바쁘면 내일 하세요.   If you are busy, do it tomorrow.
아프면 병원에 가세요.   If you get sick, you should see a doctor.

어휘와 표현

Vocabulary

① (N은/는) 방학이다 | N be on vacation

우리는 지금 방학이에요. | We are on vacation.
내일부터 방학이에요. | Our vacation begins tomorrow.
서울대는 언제부터 방학이에요? | At Seoul National University, when does the vacation begin?

방학을 하다 | to be on vacation

언제 방학을 해요? | When does your vacation begin?
– 다음 월요일에 해요. | - Next Monday.
방학을 해서 참 좋아요. | It's vacation time, so I'm happy.
방학을 했지만 고향에 안 갔어요. | Even though I was on vacation, I didn't go to my hometown.

② 계절 | season

나는 봄이 좋습니다. | I like spring.
여름에 어디에 갈 거예요? | Where will you go in summer?
가을에는 산에 갑시다. | In fall, let's go to the mountains.
한국의 겨울은 춥습니다. | Winter in Korea is cold.

③ N께서(는) | N + honorific topic particle

부모님께서 오셨어요. | My parents have arrived.
선생님께서는 인삼차를 드십니다. | The teacher is drinking ginseng tea.
아버지께서 회사에 다니십니까? | Does your father work for a company?

* 친구가 왔어요. | * A friend came over.
학생들이 밥을 먹어요. | The students are eating.
형이 회사에 다녀요? | Does your older brother work for a company?

④ N이/가/께서 좋아하다

N be glad (like)

오늘 시험이 끝나서 학생들이 좋아해요.

The students are glad that the test is over today.

눈이 오면 사람들이 좋아합니다.

People like it when it snows.

편지를 받고 선생님께서 좋아하셨 어요.

My teacher was happy to receive the letter.

Notes

1. −고 있다 is a sentence ending marker expressing action in progress.
   Ex) 저는 아침을 먹고 있어요. (= I am having breakfast.)
2. −(으)면 is a conjunction used when the first sentence serves as the condition for the second one.
3. 이는/께서는 are topic particles. 이 is used in casual speech, while 께서는 is used for more formal speech.

연습 1

① 가 : 지금 무엇을 먹어요?
　나 : (냉면) 냉면을 먹고 있어요.

1) 가 : 요즘 어디에서 공부해요?
　　나 : (서울대학교)

2) 가 : 요즘 무엇을 배워요?
　　나 : (운전)

3) 가 : 지금 무슨 노래를 들어요?
　　나 : (한국 노래)

4) 가 : 지금 몇 번 버스를
　　　　기다려요?
　　나 : (413번 버스)

② 집에 도착하다, 전화하다 ⇨ 집에 도착하면 전화할 거예요.

1) 부산에 가다, 이 선생님 댁에 가 보다
　　⇨
2) 버스가 안 오다, 택시를 타다
　　⇨
3) 시간이 많이 있다, 여행을 가다
　　⇨
4) 수업이 일찍 끝나다, 시내 구경을 하다
　　⇨
5) 고향에 가다, 친구를 만나다
　　⇨

연습 2

① 27과를 읽고 대답하세요.

1) 윌슨 씨는 이번 겨울에 무엇을 하려고 합니까?
2) 윌슨 씨의 고향에는 누가 있습니까?
3) 윌슨 씨는 어제 백화점에 가서 무엇을 했습니까?
4) 윌슨 씨는 왜 영국에 빨리 가려고 합니까?

② 방학, 고향, 계절, 부모님, 선물, 거스름돈, 물건 값

1) (방학)을 하면 경주로 여행을 떠나고 싶어요.
2) 저기 두 분은 영숙 씨의 (   )이세요.
3) (   )에는 가족이 살고 있어요.
4) 요즈음 (   )이 많이 올랐어요.
5) 여름은 내가 좋아하는 (   )이에요.
6) 동생에게 생일 (   )을 주면 좋아할 거예요.
7) 여기 (   ) 받으세요. 감사합니다. 또 오세요.

③

여행을 가고 싶지만 시간이 없어요.
⇨ 시간이 없으면 여행을 안 갈 거
예요.

1)

머리가 아파요.
⇨ ....

2)

산에 가고 싶지만 비가 와요.
⇨ ....

3)

식당에 갔는데 불고기가 비싸요.
⇨ ....

4)

친구를 기다리는데 친구가 안 와요.
⇨ ....

④ 다음 편지를 읽고 쓰세요.

오다, 아름답다, 끝나다, 다니다, 살다, 있다

보고 싶은 어머니께,

안녕하세요? 일본의 날씨는 어때요? 여기 한국은 덥고 비가 많이 (오)고 있어요. 요즈음은 비가 많이 와서 수업이 (   )면 일찍 집에 돌아와요. 저녁에는 한국 텔레비전을 보는데 어렵지만 재미있어요.

며칠 전에는 지영 씨와 제주도에 갔어요. 제주도에는 지영 씨의 부모님과 동생이 (   )고 있는데 제주도는 아주 (   )요.

어머니와 아버지께서 한국에 (   )면 같이 가고 싶어요. 동생은 회사에 잘 (   )고 있지요? 이번 여름 방학은 바빠서 일본에 갈 수 없지만 겨울 방학에는 갈 수 있을 거예요. 시간이 (   )면 다시 편지하겠어요. 그럼 안녕히 계세요.

요코

---

1) 요코는 요즈음 왜 집에 일찍 돌아옵니까?

2) 제주도에는 누가 있습니까?

3) 요코는 다시 제주도에 가려고 합니까?

4) 요코는 이번 여름 방학에 고향에 갑니까?

⑤ 잘 듣고 맞는 답을 고르세요.

1) ① 기침을 하면
   ② 일어나면
   ③ 학교에서 돌아오면

2) ① 아파서
   ② 배가 고파서
   ③ 여행을 가야 해서

3) ① 오늘 어머니는 집에 일찍 오세요.
   ② 어머니는 저녁을 잡수셨어요.
   ③ 어머니는 지금 집에 안 계세요.

28과 책방에 가려고 합니다

오늘은 토요일입니다. 강의가 없습니다. 앙리는 학교 앞
에서 친구들을 기다리고 있습니다. 그들과 함께 광화문에
있는 책방에 가려고 합니다. 그 책방은 서울대 책방보다 더
큽니다. 거기에는 여러 가지 책들이 다 있습니다. 앙리는
한국어 사전과 서울 지도를 사려고 합니다. 그리고 동생에
게 줄 한국 역사책도 한 권 살 것입니다.

Unit 28

I Am Going to the Bookstore.

Today is Saturday. There is no class today. Henri is waiting for
his friends in front of the university. They'll go together to the
bookstore at Kwanghwamoon. That bookstore is bigger than the
one at Seoul National University. Over there, there are all kinds of
books. Henri will buy a Korean dictionary and a map of Seoul. He
will also buy a Korean history book to give to his brother.

책방 bookstore
강의 class, lecture
광화문 Kwanghwamoon
보다 than
크다 to be large
여러 가지 several kinds of
다 all
지도 map
ㅡㄹ/을 noun modifier
ㅡ(으)ㄹ 것이다
   sentence ending

★ 작다 to be small
축구 soccer
서점 bookstore

발음
Pronunciation

1. 책방 [책빵]
2. 강의 [강이]
3. 광화문 [광화문]

문법
Grammar

1 N보다 (더) A

more A than N

형이 나보다 더 작습니다.
(나보다 형이 더 작습니다.)

My older brother is shorter than I am.

지하철이 버스보다 더 빨라요.
(버스보다 지하철이 더 빨라요.)

The subway is faster than the bus.

이 옷이 저 옷보다 더 비싸요.
(저 옷보다 이 옷이 더 비싸요.)

This outfit is more expensive than that one.

2 V-ㄹ/을 N

V + noun modifier N

읽을 책이 많아요.

I have many books to read.

마실 물 좀 주세요.

I'd like some water please.

동생에게 줄 선물입니다.

This is the present I will give to my younger brother/sister.

내일 먹을 음식이에요.

This is for tomorrow's meal.

이것은 9시에 떠날 기차예요.

This is the nine o'clock train.

3 V-(으)ㄹ 것이다

will/is going V

저는 영국에 갈 것입니다.

I am going to England.

우리는 냉면을 먹을 것입니다.

We're going to eat naengmyun.

나는 음악을 들을 것입니다.

I am going to listen to some music.

어휘와 표현

Vocabulary

① 강의가 있다[없다] | there be class/no class

오늘은 강의가 있어요. | There is a class today.
언제 강의가 없어요? | When don't we have classes?
– 토요일과 일요일에는 강의가 없어요. | - There are no classes on Saturday and Sunday.

강의를 | 하다 | to teach a class
| 듣다 | to take a course
| 받다 | to have a class

이 선생님께서 강의를 하십니다. | Mr./Ms. Lee is teaching a class.
오늘은 한국어 강의를 합니다. | Today I have a Korean class.
저는 김 선생님(의) 강의를 들어요. | I am taking Mr./Ms. Kim's class.
한국 역사 강의를 받고 싶어요. | I want to take a Korean history class.

② N을/를 기다리다 | to wait for N

학교 앞에서 친구를 기다렸어요. | I waited for a friend in front of the university.
버스를 기다리고 있어요. | I am waiting for the bus.
지금 전화를 기다려요. | I am waiting for a phone call.
동생을 기다리면서 책을 읽었어요. | I read a book while waiting for my brother.

③ 여러 가지 | several kinds of

여러 가지 과일들을 샀습니다. | I bought several kinds of fruits.
백화점에는 여러 가지 옷이 있습니다. | There are several kinds of clothing at the department store.
여기에는 여러 가지 책이 있어요. | There are several kinds of books here.

④ 다 V

all V

이 서점에는 여러 가지 책들이 다 있어요.	There are all kinds of books in this bookstore.
학생들이 다 집에 갔어요.	All the students have gone home.
강의가 다 끝났어요?	Is the class all over?
밥을 다 먹었어요?	Have you finished eating?

Notes

1. When the noun modifier −(으)ㄹ is used with an action verb, it usually denotes the future tense.
   Ex) 먹을 음식 좀 주세요. (= Could you please bring me some food?)
2. −(으)ㄹ 것이다 is a sentence ending marker used to express the speaker's plan or intention.
   Ex) 저는 경주에 갈 것입니다. (= I will go to Kyongju.)

연습 1

① 가 : 어느 계절이 더 좋아요?

　나 : (여름, 겨울) 여름이 겨울보다 더 좋아요.

　　1) 가 : 어디가 더 커요?

　　　나 : (호주, 일본)

　　2) 가 : 무슨 운동이 더 재미있어요?

　　　나 : (야구, 축구)

　　3) 가 : 무엇이 더 빨라요?

　　　나 : (비행기, 기차)

　　4) 가 : 언제가 더 바빠요?

　　　나 : (일요일, 월요일)

　　5) 가 : 어디가 더 복잡해요?

　　　나 : (시장, 백화점)

② 이번 겨울, 집에 가다 ⇨ 이번 겨울에 집에 갈 것입니다.

　　1) 오늘 저녁, 친구를 만나다 ⇨

　　2) 내일 아침, 집에 전화하다 ⇨

　　3) 여름, 수영을 배우다 　　⇨

　　4) 겨울 방학, 고향에 가다 　⇨

　　5) 이번 주말, 책을 읽다 　　⇨

③ 읽다 : 지금 (읽는) 책은 역사책입니다.

　　　　 서점에서 내일 (읽을) 책을 샀어요.

　　1) 가다 　　 : 지금 집에 (　　　　　) 사람이 누구입니까?

　　　　　　　　 내일 경주에 (　　　　　) 사람이 누구입니까?

　　2) 보다 　　 : 지금 (　　　　　) 영화가 무엇입니까?

　　　　　　　　 내일 (　　　　　) 영화가 무엇입니까?

　　3) 먹다 　　 : 지금 (　　　　　) 음식이 무엇입니까?

　　　　　　　　 내일 (　　　　　) 음식이 어디에 있어요?

　　4) 공부하다 : 지금 (　　　　　) 과는 28과입니다.

　　　　　　　　 내일 (　　　　　) 과는 29과입니다.

　　5) 살다 　　 : 지금 (　　　　　) 집은 신림동에 있습니다.

　　　　　　　　 다음 주말부터 (　　　　　) 집은 사당동에 있습니다.

연습 2

① 28과를 읽고 대답하세요.

1) 월슨은 어디에서 친구들을 기다리고 있습니까?
2) 왜 광화문에 있는 책방에 가려고 합니까?
3) 거기에서 무엇을 사려고 합니까?
4) 역사책은 누구에게 줄 책입니까?

② 있다, 없다, 이다, 아니다, 계시다

1) 감기에 걸렸어요. 열이 좀 (   ).
2) 일요일에는 강의가 (   ).
3) 오늘 저녁에 시간이 (   )?
4) 부모님이 (   )고 동생이 하나 있어요.
5) 돈이 (   )서 차를 못 사요.
6) 오늘은 화요일이 (   )고 수요일이에요.

③ 나는 지금 영화를 봅니다.
지금 보는 영화는 아주 재미있는 영화입니다.

1) 이번 주말에 광화문에서 친구를 만나려고 합니다.
이번 주말에 .... 친구는 존스 씨입니다.

2) 오늘은 날씨가 아주 춥습니다.
나는 .... 날씨가 좋습니다.

3) 내일은 제 생일인데 친구를 초대하려고 합니다.
제가 .... 친구는 모두 다섯 명입니다.

4) 저는 신림동에 삽니다.
지금 제가 .... 집은 작지만 아주 좋아요.

5) 나는 지금 영어 숙제를 하는데 아주 어렵습니다.
나는 .... 숙제를 싫어합니다.

6) 나는 다음 방학에 운동을 배우려고 합니다.
내가 .... 운동은 수영입니다.

④

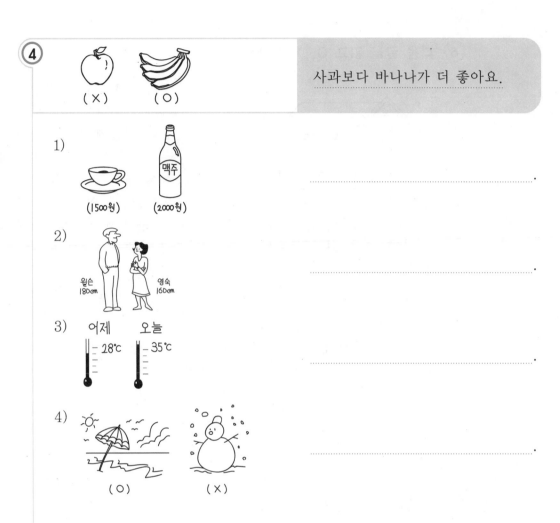

사과보다 바나나가 더 좋아요.

1) ....

2) ....

3) ....

4) ....

⑤ 타고 가다, 사다, 입다, 읽다, 여행하다, 주다, 듣다, 준비하다

　　나는 내일 제주도로 여행을 가려고 합니다. 저와 같이 (여행할) 친구는 월슨입니다. 우리가 (　　　　　) 비행기는 아침 10시에 김포공항에서 출발합니다. 지금 나는 여러 가지 물건들을 (　　　　　)고 있습니다. 제주도를 여행하면서 (　　　　　) 음악은 한국 노래입니다. 저는 어제 월슨과 같이 내일 (　　　　　) 옷을 남대문시장에서 샀습니다. 내일 비행기에서 (　　　　　) 책은 가방 안에 있습니다. 저는 제주도에서 동생에게 (　　　　　) 선물을 살 것입니다. 다음 주 수요일이 동생의 생일이니까요.

6 다음 글을 읽고 O, X 하세요.

우리 가족은 이번 여름에 한국에 왔습니다. 지금 살고 있는 집은 신림동에 있는 이층집인데 방은 모두 다섯 개입니다. 제 방은 동생 방보다 더 작지만 큰 창문이 있어서 아주 좋습니다. 겨울에 눈이 오면 창문 밖을 보면서 눈 구경을 할 것입니다. 우리 고향에는 눈이 안 오니까 한국에서 눈 구경을 많이 하려고 합니다.

1) 제 방은 동생 방보다 더 작습니다. (   )
2) 우리 가족은 이번 겨울에 한국에 왔습니다. (   )
3) 나는 지금 눈 구경을 하고 있습니다. (   )
4) 우리 고향에는 눈이 많이 옵니다. (   )

7 잘 듣고 맞는 답을 고르세요.

1) ① 맛이 있어서
　② 값이 싸서
　③ 가까워서

2) ① 이름이 어려워서
　② 기다리는 사람이 많아서
　③ 시간이 없어서

3) 잘 듣고 맞으면 O, 틀리면 X 하세요.
　① (　　　)
　② (　　　)

29과 한국 돈으로 바꿔 주세요

월슨 : 여기서 달러를 바꿀 수 있습니까?

아가씨 : 네, 얼마를 바꿔 드릴까요?

월슨 : 400달러를 전부 한국 돈으로 바꿔 주세요.
        오늘은 1달러에 얼마입니까?

아가씨 : 1,200원이에요. 여권 좀 보여 주세요.
        그런데 한국말을 아주 잘하시는군요!

월슨 : 뭘요. 아직 잘 못해요.

아가씨 : 자, 여기 480,000원 있습니다.
        여권도 받으세요. 안녕히 가세요.

Unit 29

Please Change This to Korean Currency.

Wilson : Can I change dollars here?
Miss : Yes, how much would you like to change?
Wilson : I'd like to change $400 into Korean currency.
        What is today's exchange rate?
Miss : 1,200 won. Could I see your passport, please?
        By the way, you seem to speak Korean very well.
Wilson : Thanks, but I can't speak very well yet.
Miss : Well, here is 480,000 won.
        And here is your passport. Have a nice day!

바꾸다 to change   ★ 잔돈 change
달러 dollar
전부 in all
여권 passport
보여 주다 to show
그런데 by the way
−는군요
    sentence ending marker
잘 well
뭘요 don't mention it
아직 yet
자 well

발음
Pronunciation

① 바꿔 주세요 [바꿔주세요]
② 여권 [여꿘]
③ 잘 못해요 [잘모태요]

문법
Grammar

① V-아/어 드리다

Do something for someone (more polite)

얼마를 바꿔 드릴까요? — How much would you like to change?
- 400달러를 바꿔 주세요. — - I'd like to change $400.
한국말을 가르쳐 드릴까요? — Would you like me to teach you Korean?
- 네, 가르쳐 주세요. — - Yes, teach me, please.
어머니를 도와 드리세요. — Give your mother a hand (please).
책을 사 드리겠어요. — I will buy you a book.

* 무슨 책을 사 줄까요? — * What book shall I buy for you?
- 역사책을 사 주세요. — - Buy me a history book.

② V-는군요

V + sentence ending marker

한국말을 잘하시는군요! — You speak Korean well!
집에 편지를 쓰는군요! — You are writing a letter home!
걸으면서 음악을 듣는군요! — You are listening to music while you walk!
은행에서 일하시는군요! — You work at a bank!
신림동에 사는군요! — You live in Shillimdong!

* 꽃이 참 예쁘군요! — * The flowers are quite pretty!
산이 아름답군요! — The mountains are beautiful!

③ N을/를 잘하다[잘 못하다]   to do N well [not to do N well]

한국말을 잘해요?	Do you speak Korean well?
- 네, 잘해요.	- Yes, I speak it well.
수영을 잘하세요?	Do you swim well?
- 아니오, 잘 못해요.	- No, I don't swim well.
철수는 일을 잘합니까?	Does Chulsoo do his work well?
- 네, 아주 잘해요.	- Yes, he does it very well.
나는 한국어를 아직 잘 못합니다.	I don't speak Korean well yet.

어휘와 표현
Vocabulary

① N을/를 N(으)로 바꾸다   to exchange (change) N into N

달러를 한국 돈으로 바꾸려고 해요.	I am going to change dollars into Korean currency.
천 원을 잔돈으로 바꿀 수 있어요?	Can you give me change for a 1,000 won bill?
이 책을 사전으로 바꿔 주세요.	I'd like to exchange this book for a dictionary, please.

② 아직   not yet

아직 일어나지 않았어요?	Haven't you woken up yet?
숙제를 아직 못 했어요.	I haven't done my homework yet.
학생들이 아직 다 안 왔어요.	The students haven't come yet.
한국말을 아직 잘 못해요.	I don't speak Korean well yet.
텔레비전 뉴스를 아직 잘 못 들어요.	I can't fully understand the TV news yet.

③ N에게 N을/를 보여 주다[보여 드리다]　　to show N to N

저에게 여권을 보여 주세요.	Please show me your passport.
친구에게 제 방을 보여 주었어요.	I showed my room to my friend.
선생님께 공책을 보여 드렸어요.	I showed my notebook to the teacher.
우리에게 선물을 보여 주십시오.	Could you show us the present you received?

④ 그런데　　by the way/but

이번 주말에 제주도에 갑시다.	Let's go to Chejudo this weekend.
그런데 뭘 타고 가면 좋을까요?	By the way, how should we get there?
많이 기다렸지요?	Did you wait for long?
그런데 몇 시에 도착했어요?	By the way, what time did you get here?
한국말을 잘해요.	I speak Korean well.
그런데 한국 노래를 못해요.	But I can't sing Korean songs.
일찍 일어났어요.	I woke up early.
그런데 학교에 늦었어요.	But I was late for school.

⑤ 뭘요　　You're welcome/Sure/Not at all

한국말을 잘하시는군요!	You seem to speak Korean well.
- 뭘요. 잘 못해요.	- Thank you, but I can't speak it well.
요즈음 아주 바쁘시군요!	You seem to be very busy these days.
- 뭘요. 바쁘지 않아요.	- Not really. I'm not so busy.
도와 주셔서 고맙습니다.	Thank you for helping.
- 뭘요.	- Don't mention it.

Notes

1. −(는)군요 is an exclamatory ending. Depending on the circumstances, it expresses surprise or delight. −군요 is used after a descriptive verb, while −는군요 follows an action verb.
2. 뭘요 is used in informal speech in response to a statement in order to either modestly acknowledge the statement, or partially disagree with it. It can be translated as 'not really' or 'don't mention it'.

연습 1

Exercise 1

① 가 : 무엇을 사 드릴까요?
　나 : (점심) <u>점심을 사 주세요.</u>

1) 가 : 무엇을 읽어 드릴까요?
　　나 : (한국어책)
2) 가 : 무엇을 도와 드릴까요?
　　나 : (숙제)
3) 가 : 얼마를 바꿔 드릴까요?
　　나 : (50만원)
4) 가 : 무엇을 가르쳐 드릴까요?
　　나 : (한국 노래)
5) 가 : 언제 편지를 써 드릴까요?
　　나 : (내일 아침)

② 가 : 한국말을 잘해요?
　나 : (아니오) <u>아니오, 아직 잘 못해요.</u>

1) 가 : 김치를 잘 먹어요?
　　나 : (아니오)
2) 가 : 맥주를 잘 마셔요?
　　나 : (아니오)
3) 가 : 수영을 잘해요?
　　나 : (아니오)
4) 가 : 한국어책을 읽을 수 있어요?
　　나 : (아니오)
5) 가 : 텔레비전 뉴스를 들을 수 있어요?
　　나 : (아니오)

③ 100달러, 한국 돈 ⇨ <u>100달러를 한국 돈으로 바꿔 주세요.</u>

1) 11시 표, 12시 표 ⇨
2) 이 옷, 저 옷   ⇨
3) 역사책, 사전   ⇨
4) 천 원, 잔돈   ⇨
5) 우유, 주스   ⇨

연습 2
Exercise 2

① 29과를 읽고 대답하세요.

1) 월슨은 지금 어디에 있습니까?
2) 월슨은 왜 거기에 갔습니까?
3) 외국 돈을 한국 돈으로 바꾸고 싶은데 무엇이 있어야 해요?
4) 월슨은 얼마를 한국 돈으로 바꿨습니까?
5) 월슨은 한국어를 잘합니까?

②

가 : 뭘 도와 드릴까요?
나 : 한국어 공부를 좀 도와 주세요.

1)

가 : 뭘 사 드릴까요?
나 : _____.

2)

가 : 뭘 가르쳐 드릴까요?
나 : _____.

3)

가 : 무슨 책을 읽어 드릴까요?

나 : _____.

4)

가 : 얼마를 바꿔 드릴까요?

나 : _____.

③ 한국어가 재미있어요. 그런데 아주 어려워요.

1) 밖에 비가 와요. 그런데 _____.

2) 버스가 왔어요. 그런데 _____.

3) 여행을 떠나고 싶어요.
   그런데 _____.

4) 오늘 아침에 8시 30분에 일어났어요.
   그런데 _____.

5) 감기에 걸렸어요. 그런데 _____.

6) 어젯밤에 12시에 잤어요.
   그런데 _____.

4 다음 대화를 읽고 대답하세요.

어제 철수는 옷을 한 벌 샀습니다.
그 옷을 집에 와서 입어 보았는데
좀 컸습니다. 오늘 그 옷을 바꾸고
싶어서 다시 옷가게에 갔습니다.

아가씨 : 어서 오세요.
철수　 : 어제 이 옷을 샀는데 좀 커서 왔어요.
　　　　더 작은 옷은 없어요?
아가씨 : 있어요. 이거 입어 보세요.
철수　 : 이것도 커요.
아가씨 : 미안하지만 더 작은 옷은 없어요.
　　　　여기 있는 이 옷은 어때요?
철수　 : 좋은데 비싸군요.
아가씨 : 저기 있는 옷들도 다 보셨어요?
철수　 : 네, 다 보았는데 지금은 사고
　　　　싶은 옷이 없어요.
아가씨 : 그럼 내일 다시 오시겠어요?
　　　　내일은 물건이 많이 올 거예요.
철수　 : 내일은 시간이 없으니까 토요일에 다시 올게요.

1) 철수는 왜 옷가게에 다시 갔어요?

2) 가게에 좋은 옷이 있었는데 왜 안 샀습니까?

3) 철수는 언제 또 그 가게에 갈 것입니까?

4) 친구와 함께 써 보세요.

오늘 옷가게에 다시 갔습니다. ....

....

....

....

....

⑤ 잘 듣고 맞는 답을 고르세요.

1) ① 잔돈이 없어서
   ② 한국 돈을 달러로 바꾸려고
   ③ 달러를 한국 돈으로 바꾸려고

2) ① 1,110원
   ② 1,510원
   ③ 1,210원

3) ① 여권이 없어서
   ② 달러가 비싸서
   ③ 돈이 없어서

30과 어떤 영화였어요?

윌슨 : 주말 잘 지냈어요?

영숙 : 네, 시골에서 사는 친구가 와서 함께 여기저기
　　　구경을 다녔어요. 윌슨 씨는요?

윌슨 : 그저 그랬어요. 어제는 심심해서 숙제를 끝내고
　　　영화를 보러 갔어요.

영숙 : 어떤 영화였어요?

윌슨 : 만화 영화였는데, 재미있었어요. 영숙 씨는 영화
　　　안 좋아해요?

영숙 : 아뇨, 나도 아주 좋아해요. 다음에는 나도 같이 가요.

Unit 30

What Kind of Movie Was It?

Wilson　　　: Did you have a good weekend?
Youngsook : Yes, I went sightseeing with my friend from the country.
　　　　　　　What about you?
Wilson　　　: It was so-so. Yesterday I was bored, so after finishing my
　　　　　　　homework I went to see a movie.
Youngsook : What kind of movie was it?
Wilson　　　: It was an animation movie, and it was interesting.
　　　　　　　Don't you like movies?
Youngsook : Yes, I like them very much, too.
　　　　　　　I'll go with you, next time.

지내다 to spend
시골 countryside
여기저기 here and there
그저 그렇다 to be so-so
심심하다 to be bored
끝내다 to finish
-(으)러 in order to
어떤 what kind of
만화 cartoon

★ 슬프다 to be sad
타이타닉 Titanic

발음
Pronunciation

① 끝내고 [끈내고]

문법
Grammar

① V-(으)러 가다[오다] | to go/come to V

밥을 먹으러 식당에 갑니다. | We are going to a restaurant to eat.
달러를 바꾸러 은행에 갈까요? | Shall we go to the bank to change dollars?
친구를 만나러 왔어요. | I came to meet a friend.
한국말을 배우러 학교에 다닙니다. | I am going to school to learn Korean.

② 어떤 N | What kind of N

어떤 책을 읽어요? | What kind of book are you reading?
어떤 영화를 봤어요? | What kind of movie did you see?
어떤 선물을 살 거예요? | What kind of gift will you buy?
어떤 사람을 좋아해요? | What kind of people do you like?

③ N-이었다/였다 | to be (past) N

선물이 꽃이었어요. | The gift was a bunch of flowers.
선물이 시계였어요. | The gift was a watch.
어떤 운동이었습니까? | What sport was it?
어떤 영화였습니까? | What kind of movie was it?
– 슬픈 영화였어요. | - It was a sad movie.
숙제가 무엇이었어요? | What was the homework?
1달러에 얼마였어요? | How much was one dollar worth?

④ 안 V — not V

영화 안 좋아해요? — Don't you like movies?

– 네, 안 좋아해요. — - No, I don't (like movies).

수업 안 끝났어요? — Isn't the class over?

– 네, 안 끝났어요. — - No, it isn't (over).

아침 안 먹었어요? — Didn't you eat breakfast?

– 아니오, 먹었어요. — - Yes, I did (eat breakfast).

요즈음 안 바빠요? — Aren't you busy nowadays?

– 아니오, 바빠요. — - Yes, I am (busy).

어휘와 표현
Vocabulary

① 지내다 — to spend (time)

주말을 친구와 함께 지냈어요. — I spent the weekend with my friend.

방학을 어디에서 지내시겠어요? — Where will you spend the vacation?

– 친구 집에서 지내겠어요. — - I am going to stay at a friend's house.

요즈음 어떻게 지내십니까? — How are you doing these days?

– 잘 지내고 있어요. — - I am doing well.

② N은요?/는요? — What about N?

저는 못 가요. 윌슨은요? — I can't go. What about you (Wilson)?

철수는 왔어요. 영숙이는요? — Chulsoo has arrived. What about Youngsook?

어제는 따뜻했어요. 오늘은요? — It was warm yesterday. What about today?

– 오늘도 따뜻해요. — - Today is also warm.

버스가 복잡해요. 지하철은요? — The bus is crowded. What about the subway?

– 지하철은 복잡하지 않아요. — - The subway is not crowded.

3 여기저기   here and there

여기저기 구경했어요.   I went around sightseeing.

책을 사러 여기저기 다녔어요.   I looked around for a book.

4 그저 그렇다   to be so-so

그 영화 재미있었어요?   Was the movie enjoyable?

– 그저 그랬어요.   - It was so-so.

불고기가 맛있어요?   Is the pulgogi delicious?

– 그저 그래요.   - It is so-so.

5 다음에(는)   next (time)

시간이 없으니까 다음에 만납시다.   Since I am busy, let's meet next time.

다음에는 제가 점심을 사겠어요.   Next time, I'll buy lunch.

다음에는 나도 같이 갈게요.   Next time, I'll go, too.

Notes

1. –(으)러 after a verb stem denotes the purpose of the verb. It is often used with either '가다' or '오다'.
   Ex) 먹으러 가다 (= to go to eat)

연습 1
Exercise 1

①

공부하다, 학교
⇨ 공부하러 학교에 갑니다.

1) 영화를 보다, 극장
⇨

2) 감기약을 사다, 약국
⇨

3) 돈을 바꾸다, 은행
⇨

4) 밥을 먹다, 식당
⇨

5) 책을 읽다, 도서관
⇨

②

가 : 어떤 책을 읽고 싶어요?
나 : 재미있는 책을 읽고 싶어요.

가 : 무슨 책을 읽고 싶어요?
나 : 역사책을 읽고 싶어요.

1) 가 : _____?
　 나 : 장미꽃을 받고 싶어요.

2) 가 : _____?
　 나 : 매운 음식이 좋아요.

3) 가 : _____?
　 나 : 불고기를 먹으려고 해요.

4) 가 : _____?
　 나 : 슬픈 영화가 좋아요.

5) 가 : _____?
　 나 : '편지'를 보았어요.

③ 가 : 영화 안 좋아해요?
　　나 : (네) 네, 안 좋아해요.
　　　　(아니오) 아니오, 좋아해요.

1) 가 : 커피 안 마셨어요?
　　나 : (네)
2) 가 : 야구 구경 안 좋아해요?
　　나 : (아니오)
3) 가 : 고향에 안 가세요?
　　나 : (네)
4) 가 : 어제 숙제 없었어요?
　　나 : (아니오)
5) 가 : 오늘 안 바빠요?
　　나 : (네)

④
숙제를 끝내다
➾ 숙제를 끝내고 영화를 보러
　　갔어요.

1)

(맥주를 마시다)

야구 구경을 하다
➾ ....

2)

(밥을 먹다)

수업을 끝내다
➾ ....

3)

(옷을 사다)

편지를 쓰다
➾ ....

4)

(돈을 바꾸다)

점심을 먹다

⇨ _____ .

5)

(친구를 만나다)

시험을 보다

⇨ _____ .

연습 2

① 30과를 읽고 대답하세요.

1) 영숙이는 주말에 무엇을 하면서 지냈어요?
2) 영숙이의 친구는 어디에서 살아요?
3) 윌슨은 언제 영화를 보았어요?
4) 그 영화는 어떤 영화였어요?
5) 영숙이는 영화를 안 좋아해요?

② 1) 감기에 걸렸습니다. 그래서 _____ .

2) 가 : 윌슨 씨는 지금 안 계세요.

　　나 : 그러면 _____ .

3) 술을 마셨어요. 그리고 _____ .

4) 내일부터 방학이에요. 그런데 _____ .

5) 한국어는 어렵습니다. 그렇지만 _____ .

6) 어제 영화를 보았습니다. 그런데 _____ .

③

가 : 어디에 가세요?
나 : <u>사과 사러 가게에 가요.</u>

1)

가 : 어디에 가세요?
나 : ....

2)

가 : 어떻게 오셨어요?
나 : ....

3)

가 : 뭐 하러 가요?
나 : ....

4)

가 : 왜 집에 일찍 왔어요?
나 : ....

④ 다음 대화를 읽고 대답하세요.

〈철수가 영희에게 전화했습니다.〉

철수 : 영희 씨, 영화 좋아해요?
영희 : 네, 저는 영화를 아주 좋아해요. 철수 씨는요?
철수 : 저도 영화를 좋아하지만 요즈음 바빠서 극장에 못 갔어요.
　　　 그런데 영희 씨는 어떤 영화를 좋아해요?
영희 : 다 좋아하지만 저는 슬픈 영화를 더 좋아해요.
철수 : 그래요? 이번 주말에 마이클 씨와 영화를 보려고 하는데 영희 씨
　　　 도 같이 갈 수 있어요?
영희 : 네, 좋아요. 그런데 무슨 영화를 볼 거예요?
철수 : 지금 서울극장에서 '타이타닉'을 하고 있는데, 그 영화 아직 안
　　　 보았지요?

영희 : 네, 안 보았어요. 그런데 주말에는 사람이 많을 거예요.
　　　　저는 사람이 많으면 복잡해서 싫어요.
철수 : 아, 극장에 사람이 많을까요? 그러면 다음 주 화요일쯤이
　　　　어때요?
영희 : 저는 좋아요. 그렇지만 마이클 씨가 시간이 있을까요?
철수 : 마이클 씨에게는 제가 전화해 볼게요.

1) 영희는 어떤 영화를 좋아합니까?
2) 철수는 마이클과 언제 영화를 보려고 해요?
3) 영희는 왜 주말에 영화를 보지 않아요?
4) 누가 마이클 씨에게 전화할 거예요?
5) 철수와 영희가 볼 영화는 무슨 영화예요?

⑤ **철수가 마이클에게 전화했습니다.**

철수　　 : 안녕하세요? 마이클 씨. 저 철수예요.

마이클 : 안녕하세요, 철수 씨. 잘 지냈어요?

철수　　 : 네, 잘 지냈어요.
　　　　　오늘 제가 영희 씨에게 전화했는데
　　　　　...

마이클 : ....
　　　　　...

철수　　 : ....
　　　　　...

마이클 : ....
　　　　　...

철수　　 : ....
　　　　　...

⑥ 질문에 대답하세요.

1) 어떤 남자(여자)가 좋아요?
2) 어떤 날씨를 좋아해요?
3) 어떤 집에서 살고 싶어요?
4) 어떤 친구가 좋은 친구입니까?
5) 주말에 할 일이 없으면 무엇을 하면서 지내겠어요?

⑦ 잘 듣고 맞는 답을 고르세요.

1) ① 방학을 안 해서
   ② 집을 사야 해서
   ③ 부모님께 가야 해서

2) ① 4명
   ② 5명
   ③ 6명

3) ① 지금 사는 집보다 더 작지만 산에서 가까운 집
   ② 지금 사는 집보다 더 크고 산에서 가까운 집
   ③ 지금 사는 집보다 더 크고 학교에서 가까운 집

찾아보기

올림말의 오른쪽 ★는 그 단어가 본문의 단어가 아니고 보충단어임을 나타내고,
숫자 2-43은 2과 43페이지를 나타냄

ㄱ

ㄴ

ㄷ

를	3-49	[object particle]	

ㅁ

마시다	9-92	to drink	飲む
만★	12-118	ten thousand	万
만나다	9-92	to meet	会う
만들다★	19-181	to make	作る
만화	30-270	cartoon	漫画
맛(이) 있다★	20-187	to be tasty	おいしい
많다	20-183	to be many	多い
많이★	15-143	a lot	たくさん
맞다★	6-75	to be correct	合う、正しい
매우	20-183	very	非常に、とても
맥주	12-116	beer	ビール
맵다★	10-102	hot (spicy)	辛い
머리★	23-211	head	頭
먹다★	3-50	to eat	食べる
멀다★	21-195	to be far	遠い
메뉴	13-125	menu	メニュー
며칠★	10-103	what day of the month	何日
며칠	22-200	a few days	数日
-면	27-246	if	-(し)たら
-면서	19-175	while	-(し)ながら
명	17-158	person (people) (counting unit)	名、人
몇★	8-86	how many	何、いくつ
모두	12-116	all, in all	全部、みんな
모자★	8-88	hat	帽子
목요일	7-76	Thursday	木曜日
못	18-167	cannot	-(する)ことが出来ない
무슨	7-76	what (kind of)	何の
무엇	1-39	what	何
뭐★	13-127		何
뭘	13-125		何を
문★	1-41	door	ドア
문법★	1-40	grammar	文法
물★	9-95	water	水
물건	26-236	thing, product	物、品物

뭐 ⇒ 무엇		
뭘 ⇒ 무엇		
뭘요　29-261	don't mention it	いいえ、とんでもない
미국★　3-51	U. S. A.	アメリカ
미안하다　18-167	to be sorry	すまない
미안하지만 ⇒ 미안하다		すみませんが

ㅂ

ㅂ시다　13-125	let's	-(し)ましょう
바꾸다　29-261	to change	換える、変える
바나나★　12-118	banana	バナナ
바지★　8-87	pants, trousers	ズボン
바쁘다　16-149	to be busy	忙しい
밖　20-183	outside	外
반★　16-151	half	半
반갑다　3-49	to be glad	うれしい（誰かに会ったり、
		望んでいたことが叶ったとき）
반갑습니다 ⇒ 반갑다		
받다　26-236	to receive	受ける、もらう
발음★　1-40	pronunciation	発音
밤★　16-151	night	夜
밥★　3-50	cooked rice, food	ご飯
방　8-85	room	部屋
방학　27-246	vacation	休み
배★　23-211	stomach	お腹
배 고프다 ⇒ 고프다★		
배우다　4-55	to learn	習う、学ぶ
배웁니다 ⇒ 배우다		
백　12-116	hundred	百
백화점★　15-143	department store	百貨店、デパート
버스★　14-135	bus	バス
번　15-142	number	番
벌　21-191	piece (of clothing)	着
	(counting unit)	
병　12-116	bottle (counting unit)	瓶
병원★　23-213	hospital	病院
보다　7-76	to see	見る
책을 보다　9-95	to read (a book)	本を誌む

人

식당 5-62	cafeteria	食堂
식사 16-149	dining	食事
식사하다 16-149	to dine	食事する
신림동★ 25-228	Shillimdong	シルリムドン（新林洞：地名）
실례지만 11-107	excuse me but	失礼ですが
싫어하다★ 18-168	to dislike	嫌いだ
심심하다 30-270	to be bored	退屈だ
십 10-103	ten	10
−십시오 12-116	[sentence ending (honorific)]	-(し)て下さい
싶다 ⇒ −고 싶다		
싸다★ 21-196	to be cheap	安い
쓰다★ 7-84	to write	書く
−씨 3-49	Mr./Ms.	-さん

O

아 11-107	ah	ああ
아가씨 24-219	young lady	お嬢さん
아뇨 ⇒ 아니오		
아니다	no	
아니오 2-43		いいえ
아뇨 24-219		いいえ
아니에요 17-159		いいえ
아닙니다 2-43		（では）ありません
아니에요 ⇒ 아니다		
아니오 ⇒ 아니다		
아닙니다 ⇒아니다		
−아 드리다 29-261	to do someting for someone (more polite)	-(し)て差し上げる
아래★ 8-88	beneath, under	下
아래층 8-85	downstairs	下の階
아름답다 20-183	to be beautiful	美しい
아버지 17-158	father	お父さん
아버님★ 17-161	father (honorific)	お交様
−아 보다 23-210	to try (to V)	-(し)てみる
−아서/어서 16-149	～and～	-して
−아서/어서 18-167	because～, ～so	-なので
−아야 하다 14-134	to have to	-(し)なければならない
−아요 8-85	[sentence ending]	-ます、-です (-ㅂ니다/습니다より)

일곱 16-149	seven	7
일기★ 21-198	diary	日記
일본★ 3-51	Japan	日本
일본어★ 3-50	Japanese (language)	日本語
일어나다★ 16-151	to get up	起きる
일요일 7-76	Sunday	日曜日
일찍★ 24-223	early	早く
일하다★ 8-87	to work	仕事する
읽다★ 4-57	to read	読む
읽으십니까 ⇒ 읽다		
읽습니다 ⇒ 읽다		
입구 15-142	entrance	入口
−입니까 ⇒ −이다		
−입니다 ⇒ −이다		
입다★ 23-212	to wear	着る
있다 8-85	to be, exist	ある、いる

ㅈ

자 29-261	well	さあ
자다★ 16-151	to sleep	眠る、寝る
자주★ 18-174	often	よく、しばしば
작다★ 28-254	to be small	小さい
잔★ 13-127	cup, glass (counting unit)	杯
잔돈★ 29-263	change (coins)	小銭
잘★ 6-75	well	よく
잡수(시)다 23-210	to eat (honorific)	召し上がる
장 15-142	sheet (of paper) (counting unit)	枚
장미★ 7-78	rose	バラ
재미없다★ 10-102	not to be interesting, entertaining, fun	つまらない
재미있다★ 9-96	to be interesting, fun	おもしろい
저★ 12-117	that	あの
저 3-49	I (honorific)	わたくし
저거 ⇒ 저것		
저것 1-39	that (thing)	あれ
저거★ 12-117		
저기서★ 21-193	there	あそこで

ㅊ

차	9-92	tea	茶
참	18-167	very	本当に
창	20-183	window	窓
창문★	1-41	window	窓
책★	1-41	book	本
책방	28-253	bookstore	本屋
책을 보다 ⇒보다			
책상	1-39	desk	机
천	12-116	thousand	千
천천히	21-191	slowly	ゆっくり
초대하다★	19-177	to invite	招待する
축구★	28-257	soccer	サッカー
축하하다★	19-181	to congratulate	祝う、祝賀する
출발하다	20-183	to depart	出発する
춥다	6-69	to be cold	寒い
층	8-85	floor	階
친구★	7-82	friend	友達
칠	8-88	seven	7
침대	8-85	bed	ベッド

ㅋ

카드	15-142	card	カード
커피★	9-95	coffee	コーヒー
콜라★	12-118	cola	コーラ
크다	28-253	to be large	大きい

ㅌ

타다	14-134	to take, to ride	乗る
타이타닉★	30-277	Titanic	タイタニック
택시★	14-135	taxi	タクシー
텔레비전	7-76	television	テレビ
토요일	7-76	Saturday	土曜日
틀리다★	7-84	to be wrong	違う、間違える

ㅍ

ㅎ

듣기 지문

6과 오늘은 날씨가 어떻습니까?

5

1) 영희 : 오늘은 날씨가 어떻습니까?
    월슨 : 좋습니다.
2) 영희 : 중국은 요즈음 날씨가 어떻습니까?
    월슨 : 덥습니다.
3) 영희 : 일본은 날씨가 어떻습니까?
    월슨 : 날씨가 좋지 않습니다. 비가 옵니다.
4) 영희 : 호주에도 비가 옵니까?
    월슨 : 아니오, 비가 오지 않습니다. 눈이
              옵니다.

7과 오늘은 무슨 요일입니까?

6

    오늘은 토요일입니다. 학교에 가지 않습니다.
시장에 가고, 공원에서 운동을 합니다. 일요일에
는 집에서 쉽니다. 집에서 한국어책을 읽습니다.

7

영희 : 월요일에 무엇을 하십니까?
월슨 : 서울대학교에서 한국어를 배웁니다.
영희 : 화요일에도 한국어를 배웁니까?
월슨 : 아니오, 화요일에는 일본어를 가르칩니다.

1) 월요일에 서울대학교에서 한국어를 배웁니다.
2) 화요일에도 한국어를 배웁니다.
3) 한국어와 일본어를 배웁니다.

8과 내 방은 3층에 있어요

5

1) 제인 : 구두는 몇 층에 있어요?
    철수 : 4층에 있어요.
2) 제인 : 가방은 어디에 있어요?
    철수 : 1층에 있어요.
3) 제인 : 바지는 2층에 있어요?
    철수 : 네, 2층에 있어요.
4) 제인 : 책은 5층에 있어요?
    철수 : 아니오, 7층에 있어요.
5) 제인 : 식당은 어디에 있어요?
    철수 : 9층에 있어요.
    제인 : 다방은 어디에 있어요?
    철수 : 식당 옆에 있어요.

9과 어제 무엇을 했어요?

6

영숙 : 월슨 씨, 주말에 무엇을 했어요?
월슨 : 친구가 집에 왔어요. 밥을 먹고 시내에 갔
          어요.
영숙 : 시내에서 무엇을 했어요?
월슨 : 백화점에 갔어요. 백화점에서 제 구두와
          옷을 샀어요.
영숙 : 친구도 옷을 샀어요?
월슨 : 아니오, 친구는 가방을 샀어요. 가방을 사
          고 차를 마셨어요.

1) 월슨은 주말에 어디에 갔어요?
2) 친구는 무엇을 샀어요?

10과 어디에서 오셨어요?

5

여기는 1급반 교실입니다. 여기에서 외국 학생들이 한국어를 배웁니다. 마이클은 미국 사람입니다. 1월 12일에 한국에 왔습니다. 토니와 윌슨은 2월 5일에 영국에서 왔습니다. 앙리 씨는 2월 26일에 왔습니다. 프랑스 사람입니다. 다나카도 여기에서 공부합니다. 다나카는 일본에서 3월 11일에 왔습니다. 우리는 3월 15일에 서울대학교에서 만났습니다.

11과 거기 김 선생님 댁입니까?

6

영희　　　：여보세요. 거기 김 선생님 댁입니까?
아주머니：네, 그렇습니다.
영희　　　：안녕하세요? 저는 김영희입니다. 김 선생님의 학생입니다. 김 선생님 계십니까?
아주머니：아니오. 김 선생님은 지금 미국에 가셨어요. 주말에 한국에 오세요.
영희　　　：아, 그렇습니까? 그러면 주말에 다시 전화하겠습니다.

1) 김 선생님이 영희에게 전화하셨어요.
2) 김 선생님은 댁에 안 계세요.
3) 영희는 주말에 미국에 가요.

7

아주머니：여보세요. 다나카 씨?
다나카　：네, 아주머니.
아주머니：다나카 씨, 지금 어디에 있어요?
다나카　：학교에 있어요.
아주머니：다나카 씨 어머니가 일본에서 전화하셨어요.
다나카　：그래요? 그러면 제가 지금 어머니께 전화하겠어요.

1) 다나카 씨 어머니는 일본에 계십니다.
2) 다나카 씨는 일본에 전화했습니다.
3) 다나카 씨는 지금 집에 없어요.

12과 이 사과는 한 개에 얼마입니까?

7

아저씨：어서 오세요.
제인　：사과 한 개에 얼마입니까?
아저씨：700원입니다.
제인　：바나나는 한 개에 얼마입니까?
아저씨：500원입니다.
제인　：그러면 바나나 4개 주세요.
아저씨：여기 있어요. 모두 2,000원입니다.

8

아저씨：어서 오세요.
제인　：이 모자 얼마입니까?
아저씨：6,000원이에요.
제인　：그럼 그거 주세요. 저 가방은 얼마예요?
아저씨：11,000원입니다.
제인　：그 가방도 사겠어요. 모두 얼마입니까?
아저씨：17,000원입니다.
제인　：15,000원에 주세요.
아저씨：그러면 16,000원 주세요.
제인　：좋아요. 여기 있어요.

1) 무엇을 샀어요?
2) 모두 얼마를 주었어요?

13과 뭘 드릴까요?

5

아주머니：어서 오세요. 뭘 드릴까요?
영희　　：메뉴 좀 주세요. 제인 씨, 뭘 먹을까요?
제인　　：저는 냉면을 먹겠어요.

영희   : 그래요. 아주머니, 여기 냉면 한 그릇
         과 불고기를 주세요.
제인   : 영희 씨, 밥 먹고 같이 다방에 가서 커
         피를 마십시다.
영희   : 이 식당에서도 커피를 줘요.
제인   : 그래요? 그러면 여기에서 마십시다.

1) 여기는 어디입니까?
2) 영희는 무엇을 먹습니까?
3) 두 사람은 어디에서 커피를 마셔요?

6

1) 제인 : 뭘 드릴까요?
   철수 : 우유 (두) 잔하고 커피 (한) 잔 주
          세요.
2) 제인 : 어서 오세요.
   철수 : 사과 (여섯) 개하고 우유 (일곱) 병
          주세요.
3) 제인 : 뭘 드릴까요?
   철수 : 냉면 (세) 그릇하고 밥 (네) 그릇 주
          세요.

7

1) 나는 친구에게 책을 주었어요.
2) 나는 어머니께 꽃을 드렸어요.
3) 선생님은 윌슨에게 사과를 주십니다.
4) 철수는 영희에게 꽃을 주었어요.

14과   어서 갑시다

5

수미 : 영희 씨, 내일은 시간 있어요? 같이 산에
       갑시다.
영희 : 시간이 없어요. 영어 숙제도 해야 하고 책
       도 읽어야 해요.
수미 : 요즈음 영어를 공부해요? 영어 공부가 어
       때요?
영희 : 선생님도 좋고 친구들도 재미있지만 아주

어려워요.
수미 : 그러면 내일 우리 집에 와서 같이 공부할
       까요? 우리 집에 미국 친구가 한 명 있어
       요. 그 친구는 한국 사람들에게 영어를 가
       르치니까 같이 만나 봅시다.
영희 : 그래요? 좋아요. 수미 씨 집에 어떻게 가요?
수미 : 지하철을 타고 신림역에서 내리세요.
영희 : 네, 좋아요.

1) 영희는 내일 무엇을 해야 해요?
2) 미국 친구는 한국에서 무엇을 합니까?
3) 수미 씨 집에 무엇을 타고 가요?

15과   버스를 탑니다

6

1) 제인 : 서울대학교에 가려고 해요. 어떻게 가
          야 해요?
   철수 : 지하철 2호선을 타고 서울대입구역에
          서 내리세요.
2) 제인 : 57번 버스가 한국극장으로 가요?
   철수 : 아니오. 405번 버스를 타고 종로1가에
          내리세요.
3) 제인 : 윌슨 씨 집에 가려고 해요. 무엇을 타
          야 해요?
   철수 : 지하철 4호선을 타고 사당역에서 내리
          세요.
4) 제인 : 서울백화점에 갑시다. 몇 번 버스를
          탈까요?
   철수 : 지금은 길이 복잡하니까 지하철을 탑시
          다. 지하철 1호선을 타고 종로5가에서
          내립시다.

7

제인   : 아저씨, 이 버스는 사당역으로 가요?
아저씨 : 아니오, 사당역으로 안 가요.
제인   : 그러면 몇 번 버스를 타야 해요?
아저씨 : 빨리 내려서 413번 버스를 타세요.

제인　：여기서 내려서 413번 버스를 타야 해요?
아저씨 : 네, 그 버스를 타고 두 정류장 가서 내리
　　　　세요. 거기가 사당역이에요.

1) 사당역으로 가려고 해요.
2) 이 버스는 사당역으로 가지 않아요.
3) 413번 버스를 타고 다음 정류장에서 내려야
　　해요.

16과　내일 저녁에 바쁘세요?

5

영숙 : 윌슨 씨, 내일 시간 있어요?
윌슨 : 내일은 바쁘지만 토요일에는 시간이 있어요.
영숙 : 그러면 토요일에 제주도에 갈까요?
윌슨 : 좋아요. 그렇지만 월요일 아침에는 서울에
　　　와야 해요.
영숙 : 나도 학교에 가야 하니까 제주도에서 아침
　　　6시 비행기를 타고 옵시다.
윌슨 : 그러지요.
영숙 : 아침은 비행기에서 먹고 내려서 커피 한 잔
　　　마시고 윌슨 씨는 회사로 가세요.

1) 윌슨은 주말에도 바쁩니다.
2) 아침 6시 비행기를 타고 오려고 해요.
3) 두 사람은 월요일에 같이 학교에 가려고 합니다.

17과　가족이 몇 명이세요?

5

1) 영숙 : 가족이 몇 명이세요?
　　윌슨 : 네 명이에요. 아버지와 어머니가 계시고
　　　　　동생이 있어요.

2) 영숙 : 그게 뭐예요?
　　윌슨 : 우리 가족 사진이에요.

영숙 : 이분이 어머니세요?
윌슨 : 네, 우리 어머니예요.
영숙 : 이 사람은 누구예요?
윌슨 : 우리 누나예요.

3) 영숙 : 가족이 모두 5명이지요?
　　윌슨 : 네, 어머니와 형, 누나, 그리고 동생도
　　　　　있어요. 이 사람이 우리 형이고, 그 옆에
　　　　　는 누나예요.
　　영숙 : 어? 그럼 이 사진에는 동생이 없어요?
　　윌슨 : 네, 없어요.

18과　야구를 좋아하세요?

6

다나카 : 제인 씨, 한국 음식 좋아하세요?
제인　：네, 좋아해요.
다나카 : 그러면 김치도 좋아하세요?
제인　：아니오, 한국 음식은 좋아하지만 김치는
　　　　매워서 못 먹어요. 다나카 씨는 김치 좋
　　　　아하세요?
다나카 : 네, 일본에서도 자주 먹었어요.
제인　：어, 일본에도 김치가 있어요?
다나카 : 네, 있지만 맵지 않아요. 김치는 매워야
　　　　맛이 있어요. 그래서 저는 한국 김치가
　　　　좋아요.

1) 제인은 김치를 좋아해서 많이 먹습니다.
2) 다나카는 일본에서 김치를 먹지 않았습니다.
3) 일본에도 김치가 있지만 맵지 않습니다.

19과　어제는 내 생일이었습니다

7

다나카 씨는 사과를 먹으면서 이야기해요.
수미 씨는 커피 마시면서 텔레비전을 봐요.

영희 씨는 전화하면서 콜라를 마셔요.

마이클 씨는 영숙 씨에게 꽃을 주면서 생일 축하 노래를 해요.

8

1) 다나카는 커피를 좋아합니다. 우유를 싫어하고 주스도 안 마십니다.

2) 윌슨은 우유를 아주 좋아합니다. 식사 시간에도 물을 마시지 않고 우유를 마십니다. 그렇지만 술을 못 마십니다.

3) 마이클은 아침을 먹으면서 주스를 마시고, 저녁에는 우유를 한 잔 마시고 잡니다.

4) 수미는 아침에는 주스와 우유를 마시지 않습니다. 물을 마십니다. 콜라를 좋아해서 다방에서는 콜라를 자주 마십니다.

20과 경주로 여행을 떠났습니다

6

아가씨 : 어서 오세요.

철수　: 토요일 아침에 부산 가는 기차표 있어요?

아가씨 : 9시 30분에 떠나는 기차가 있어요. 몇 분이 가세요?

철수　: 둘이에요.

아가씨 : 그럼 두 장 드릴까요? 잠깐만 기다려 주세요. 모두 48,000원입니다.

철수　: 여기 있어요.

아가씨 : 이천 원하고 표 두 장 받으세요. 10월 21일 아침 9시 30분에 서울역에서 출발해서 오후 2시에 부산역에 도착합니다. 9시 15분까지 서울역으로 가세요.

철수　: 고맙습니다.

아가씨 : 안녕히 가십시오.

1) 이 사람은 언제 떠나려고 합니까?

2) 기차표는 한 장에 얼마입니까?

3) 부산역에 도착하는 시간은 몇 시입니까?

21과 옷을 한 벌 사고 싶어요

5

영숙　: 마이클 씨, 금요일에 우리 집에 올 수 있어요?

마이클 : 왜요?

영숙　: 금요일이 제 생일이어서 친구들을 초대하려고 해요.

마이클 : 그래요? 금요일 몇 시쯤에요?

영숙　: 7시쯤 어때요?

마이클 : 좋아요. 영숙 씨 집이 어디예요? 학교에서 가까워요?

영숙　: 네. 신림시장 앞에 있어요. 지하철 2호선을 타고 신림역에서 내리세요. 그리고 52번 버스를 타고 신림시장에서 내려서 전화하세요.

마이클 : 영숙 씨 전화 번호가 몇 번이에요?

영숙　: 882의 3981이에요.

1) 마이클은 금요일에 영숙이 집에 갈 거예요.

2) 영숙이 집은 학교에서 가까워요.

3) 버스도 타고 지하철도 탑니다.

6

　저는 토니입니다. 지금은 전화를 받을 수 없습니다. 삐- 소리가 나면 메시지를 남겨 주시기 바랍니다.

　여보세요. 토니 씨, 지금 집에 없어요? 저 영숙이에요. 내일이 철수 생일이어서 우리 모두 철수 집에 가려고 해요. 같이 갈 수 있어요? 전화 좀 해 주세요. 5시까지는 회사에 있으려고 해요. 회사 전화 번호는 547-2569예요. 밤에는 집으로 전화하세요.

1) 영숙이는 토니에게 전화했습니다.

2) 토니는 집에 있습니다.

3) 영숙이는 집에서 전화했습니다.

4) 영숙이의 회사 전화 번호는 547-2529입니다.

22과 주말에 무엇을 할 거예요?

5

영희　：마이클 씨, 요즘 날씨가 아주 좋은데 토요일에 서울공원에 갈까요?

마이클：저도 같이 가고 싶은데, 주말에는 못 가요.

영희　：무슨 일 있어요?

마이클：네. 중국에서 친구가 와서 함께 제주도에 가려고 해요.

영희　：비행기표 샀어요? 주말에는 여행하는 사람들이 많아서 비행기표를 빨리 사야 하는데……

마이클：네, 며칠 전에 샀어요.

영희　：그런데 그 친구는 언제 중국으로 가요?

마이클：다음 금요일에 갈 거예요.

영희　：그러면 친구와 같이 우리 학교에 한번 오세요. 학교 구경도 하고 식사도 같이 합시다. 학교 식당 음식이 아주 맛있어요.

마이클：그러지요. 제주도에서 다음 월요일에 오니까 수요일쯤 갈 수 있을 거예요.

1) 마이클은 주말에 어디에 가려고 합니까?
2) 주말에는 왜 비행기표를 빨리 사야 합니까?
3) 마이클의 친구는 언제 중국으로 갑니까?

23과 감기에 걸렸어요

6

아주머니：어떻게 오셨습니까?

윌슨　　：한국어책을 사려고 왔어요.

아주머니：그래요? 어느 나라에서 오셨어요?

윌슨　　：미국에서 왔어요.

아주머니：한국말을 아주 잘하시는데요.

윌슨　　：아니에요. 미국에서 한국어를 공부했는데 한국에 와서는 바빠서 못했어요.

아주머니：무슨 책을 드릴까요?

윌슨　　：한국어와 영어가 같이 있는 책이 있을까요?

아주머니：그러면 이 책이 어때요? 이 책은 서울대학교에서 외국학생들이 공부하는 책이에요.

윌슨　　：네, 얼마예요?

아주머니：10,000원이에요. 테이프도 있는데 드릴까요?

윌슨　　：테이프는 얼마예요?

아주머니：5,000원이에요.

윌슨　　：그럼 테이프도 주세요.

1) 무슨 책을 사려고 합니까?
2) 아주머니께 얼마를 드려야 해요?
3) 맞는 것을 고르세요.

24과 무엇을 드시겠어요?

6

약사：어디가 아파서 오셨어요?

영희：감기에 걸렸는데 열도 있고 기침도 많이 하세요.

약사：그래요? 이리 와 보세요. 좀 봅시다.

영희：아뇨. 아픈 사람은 제가 아니고 제 어머니세요.

약사：언제부터 아프세요?

영희：일 주일 전부터 아프셨는데 어제부터 기침을 더 많이 하세요.

약사：그러면 이 약을 어머니께 드리세요.

영희：어떻게 먹어야 해요?

약사：식사하시고 30분 후에 드셔야 해요.

영희：요즈음 감기에 걸려서 아픈 사람들이 많지요?

약사：네, 감기 손님들이 많아서 점심을 먹을 수가 없어요.

영희：아저씨도 좀 쉬셔야 해요.

약사：하하. 그러지요.

1) 이 사람은 왜 여기에 왔어요?
2) 언제 약을 먹어야 해요?
3) 왜 이 아저씨는 점심을 못 먹어요?

4) 여기는 어디입니까?

25과 나는 일곱 시에 일어납니다

6

윌슨 : 여보세요. 영숙 씨? 잘 있었어요?

영숙 : 네, 잘 있어요. 윌슨 씨는 어때요?

윌슨 : 저도 좋아요. 여기는 비가 많이 오는데 미국은 날씨가 어때요?

영숙 : 여기는 날씨가 아주 좋아요. 윌슨 씨, 요즈음도 한국어 공부를 해요?

윌슨 : 요즈음은 시간이 없어서 학교에 못 다녀요. 그렇지만 친구가 가르쳐 줘서 저녁에 공부하고 있어요. 일 주일 전부터 수영도 시작했어요.

영숙 : 재미있어요?

윌슨 : 네, 아주 재미있어요. 영숙 씨, 다음 주 수요일에 시간 있어요?

영숙 : 왜요?

윌슨 : 저에게 한국어를 가르쳐 주는 친구가 다음 주 수요일에 미국에 가요. 비행기가 저녁 8시 30분에 도착하는데 공항에 가 줄 수 있어요?

영숙 : 좋아요. 제 일이 5시에 끝나니까 갈 수 있어요.

윌슨 : 고마워요. 그 친구를 만나서 좀 도와 주세요.

1) 영숙 씨는 지금 어디에 있습니까?
2) 윌슨 씨는 요즈음 무엇을 합니까?
3) 영숙 씨는 수요일에 어디에 가야 해요?
4) 비행기 도착 시간은 몇 시입니까?

26과 오늘은 내가 차 값을 낼게요

7

준석 : 안녕하세요? 영숙 씨세요?

영숙 : 네, 준석 씨세요?

준석 : 네, 제가 이준석입니다. 공항에 와 주셔서 고맙습니다.

영숙 : 비행기 여행이 피곤하셨지요?

준석 : 네, 조금 피곤했지만 옆에 있는 사람과 이야기를 하면서 와서 재미있었어요.

영숙 : 비행기에서 식사하셨어요?

준석 : 아니오, 저는 비행기에서 음식을 못 먹어요.

영숙 : 그래요? 저도 저녁을 안 먹었는데 그럼 같이 식당에 갈까요?

준석 : 좋아요. 저를 도와 주셨으니까 저녁 값을 제가 낼게요.

영숙 : 아니에요. 미국에 오셨으니까 제가 사겠어요.

준석 : 그러면 영숙 씨가 다음에 내세요. 이번에는 제가 살게요.

영숙 : 좋아요. 배가 고프니까 빨리 가요.

1) 준석 씨는 비행기를 타고 오면서 무엇을 했어요?
2) 영숙 씨와 준석 씨는 무엇을 하려고 합니까?
3) 맞는 것을 고르세요.

27과 겨울 방학에 무엇을 하시겠어요?

5

어머니 : 여보세요. 아주머니, 제가 오늘 좀 늦을 거예요.

아주머니 : 네.

어머니 : 영희는 뭐 하고 있어요?

아주머니 : 지금 자고 있어요.

어머니 : 영희가 일어나면 우유를 주세요. 철수는 학교에서 돌아왔어요?

아주머니 : 아뇨, 안 왔어요.

어머니 : 철수가 돌아오면 같이 시장에 가서 운동화 좀 사 주세요. 내일 철수가 여행 가니까요.

아주머니 : 네, 그러지요. 그런데 영숙이가 오늘

학교에서 일찍 왔어요. 기침을 많이
해요.

어머니 : 그래요? 기침을 많이 하면 전화 옆에
약이 있으니까 좀 주세요. 저도 빨리
갈게요.

아주머니 : 몇 시쯤 오실 거예요?

어머니 : 8시 전에는 갈 수 있을 거예요. 저녁
을 못 먹었으니까 저녁 좀 준비해 주
세요.

아주머니 : 네, 그러지요.

어머니 : 미안해요, 아주머니.

1) 영희는 언제 우유를 먹을까요?
2) 영숙이는 오늘 왜 일찍 집에 돌아왔어요?
3) 맞는 것을 고르세요.

28과 책방에 가려고 합니다

7

우리는 점심을 먹으러 식당에 갔습니다.

윌슨 : 기다리는 사람이 아주 많군요!

영숙 : 네. 이 식당은 사람이 많아서 여기에 이름
을 쓰고 기다려야 해요.

윌슨 : 우리 이름도 썼어요?

영숙 : 네, 제가 조금 전에 썼어요.

윌슨 : 저 옆에 있는 서울식당은 사람이 많지 않은
데 왜 여기는 사람이 많지요?

영숙 : 전에 가 보았는데 맛이 없었어요.

윌슨 : 값은 어때요?

영숙 : 이 식당이 조금 더 비싸요. 요즈음은 값보
다는 맛이 좋아야 해요.

윌슨 : 그래요. 몇 분쯤 기다리면 먹을 수 있을까요?

영숙 : 사람들이 빨리 먹고 가니까 15분쯤 후에는
먹을 수 있을 거예요.

1) 이 식당은 왜 사람이 많아요?
2) 왜 이름을 쓰고 기다려야 해요?
3) ① 5분쯤 기다리면 밥을 먹을 수 있어요.

② 서울식당은 이 식당보다 맛이 있어요.

29과 한국 돈으로 바꿔 주세요

5

손님 : 오늘은 1달러에 얼마입니까?

직원 : 1,210원이에요.

손님 : 달러가 많이 올랐군요.

직원 : 네. 어제보다 더 올랐어요.

손님 : 200,000원을 달러로 바꿔 주세요.

직원 : 네. 손님, 여권 좀 보여 주세요.

손님 : 여권이 지금 없는데…….

직원 : 미안합니다. 여권이 없으면 돈을 바꿔 드릴
수 없어요.

손님 : 오늘 몇 시에 끝나지요?

직원 : 4시 30분에 끝나요.

손님 : 그럼 내일 다시 올게요. 그런데 내일은 달러
가 더 오를까요?

직원 : 아침에 전화해 보세요.

손님 : 네, 그러지요.

1) 이 사람은 왜 은행에 갔어요?
2) 오늘은 1달러에 얼마입니까?
3) 이 사람은 왜 내일 다시 오려고 해요?

30과 어떤 영화였어요?

7

영숙 : 철수 씨, 요즈음 어떻게 지내세요?

철수 : 아주 바빠요.

영숙 : 방학 안 했어요?

철수 : 아뇨, 했어요. 그런데 집을 사러 여기저기
다녀보고 있어요.

영숙 : 왜요? 지금 사는 집이 안 좋아요?

철수 : 네, 좀 작아요.

영숙 : 철수 씨 가족이 몇 명이지요?

철수 : 지금은 넷이지만 다음 주부터 부모님과 함
　　　께 살아야 해요.
영숙 : 그래요? 그럼 어떤 집을 사려고 해요?
철수 : 지금 집보다 좀 더 크고 산에서 가까운 집
　　　을 사고 싶어요. 부모님이 산을 좋아하시니
　　　까요.
영숙 : 그래요? 그럼 사당동에 가 보세요. 거기는
　　　산도 가깝고 지하철역도 가까워서 좋을 거
　　　예요.
철수 : 아, 그래요? 고마워요, 영숙 씨.

1) 철수 씨는 요즈음 왜 바쁩니까?
2) 철수 씨 부모님이 오시면 철수 씨 가족은 모두
　　몇 명입니까?
3) 철수 씨는 어떤 집을 사고 싶어요?